CW01034804

MIXPROFI

Besser kochen mit dem Thermomix.
Der Insider-Ratgeber mit über 100 cleveren
Tricks und Geheimnissen. Jetzt noch mehr
Zeit sparen, ungewöhnliche Gerichte zaubern
und andere begeistern!

KATJA WINTER

Achtung, nicht vergessen!

Mit dem Kauf dieses Buches hast du ein kostenloses E-Book erworben. Dieses steht nur eine begrenzte Zeit zum Download zur Verfügung!

Alle Informationen, wie du dir schnell das gratis Bonusheft sichern kannst, sind auf der letzten Seite!

Inhaltsverzeichnis

1
Einleitung

Die meisten Küchengeräte werden selten mit ihrem Namen angesprochen. Da heißt es, "Gib mir mal den Wasserkocher" oder "Wo habe ich denn nur wieder die Waage hingelegt?".

Beim Thermomix ist das anders. Jeder kennt ihn, denn die multifunktionale Küchenmaschine (wie man sie alternativ wohl nennen müsste) hat einen absoluten Kultstatus in den Küchen (und Herzen) ihrer kochbegeisterten Anhänger inne. Was wohl auch daran liegt, dass er so viele Funktionen vereint – so bietet er auch die eben angesprochenen Fähigkeiten eines Wasserkochers und einer Waage. Du bekommst alles aus einer Hand – und mehr noch, denn eins plus eins ist mehr als zwei, wenn du beispielsweise bei der Kochfunktion gleich das Rühren integrieren kannst.

Von einfachsten Dingen wie Wasserkochen bis hin zum Slow Cooking einer Lammschulter deckt der Thermomix die ganze Bandbreite an kulinarischen Möglichkeiten ab und nimmt dich stets mit auf die Reise, denn die Rezepte führen dich auf dem Display Schritt für Schritt durch die Zubereitung. Mit diesem Spatzen auf der Schulter, der dir die richtige Lösung stets im richtigen Moment einflüstert, kann fast nichts mehr schiefgehen und die Resultate kann man nicht selten mit denen eines Spitzenkochs vergleichen (die übrigens auch gerne den Thermomix einsetzen, zumindest zur Vorbereitung ihrer Gerichte)!

Trotz des verführerischen Angebots an Möglichkeiten, was man mit dem Thermomix so alles anstellen kann, ist es gerade beim Kochen allzu leicht, in Routine zu verfallen – denn es schmeckt ja immer! Hast du dich auch schon öfter gefragt, warum du deinen Thermomix stets auf die gleiche Weise und für oftmals ähnliche Gerichte verwendest? Hast du die vage Vermutung, dass es noch so einiges gibt, was du am Thermomix noch nicht entdeckt hast? Dann ist dieser Ratgeber genau richtig für dich, denn er ermöglicht es dir, deinen Thermomix mit ganz neuen Augen zu sehen!

Dieses Buch lädt dich ein, deinen Thermomix neu zu entdecken. Es soll dich dazu inspirieren, über den Tellerrand deiner Lieblingsrezepte hinauszublicken und Neues auszuprobieren. Es soll dir helfen, die Zubereitung deiner Speisen im Thermomix zu verfeinern und dich mit Ideen versorgen, welche komplett neuen Funktionen du ausprobieren könntest – oder wie du bereits bekannte Funktionen auf gänzlich neue und zunächst ungewohnte Weise anwenden kannst. Dieses Buch nimmt dich mit auf eine Reise, an deren Ende dir bereits bekannte Gerichte noch leichter und besser gelingen und du komplett neue Gerichte, Zubereitungsmethoden und sogar nicht zum Essen gedachte Dinge (beispielsweise selbstgemachte Kosmetika) aus dem Hut beziehungsweise Mixtopf zauberst.

Auch die Verwertung von Lebensmittelresten wirst du mit ganz neuen Augen sehen, denn der Thermomix ist dafür der ideale Verbündete! Nicht zuletzt erhältst du auch jede Menge Tipps, wie dir der Thermomix dabei helfen kann, dich abwechslungsreich zu ernähren und dein Wohlfühlgewicht zu halten. Abgerundet wird dieser Ratgeber mit zahlreichen Hinweisen zur sicheren Verwendung und Reinigung deines Thermomix, sodass du lange etwas von ihm hast.

Du kannst ihn von vorne bis hinten durchlesen wie einen spannenden Roman. Oder du schmökerst nach Lust und Laune kreuz und quer durch die verschiedenen Kapitel, je nachdem, welches Thema dich gerade am meisten interessiert. Du kannst dieses Buch auch als treuen Ratgeber in dein Küchenregal stellen und nach Bedarf einsetzen, beispielsweise wenn dir einmal etwas angebrannt ist. Dann findest du anhand des Inhaltsverzeichnisses ganz schnell das passende Kapitel und weißt sofort, was zu tun ist!

Insbesondere hilft dir dieser Ratgeber:

- deinen Thermomix nicht immer auf die gleiche Weise einzusetzen und den Tausendsassa Thermomix mit seinen **12 Funktionen besser kennenzulernen**. Wusstest du zum Beispiel, dass du mit dem Thermomix auch backen kannst? (Kapitel 2)
- deinen Thermomix so zu verwenden, dass das **Zubehör optimal eingesetzt** wird und keinen Schaden nimmt, sodass der Spatel zum Beispiel nicht so einfach kaputtgeht! (Kapitel 3)
- zu entdecken, was du mit deinem Thermomix **noch so alles anstellen** kannst, außer, eine beinahe unbegrenzte Anzahl an köstlichen Gerichten zu zaubern. Hast du beispielsweise schon einmal Badesalz in deinem Thermomix hergestellt? (Kapitel 6)
- zu lernen, wie du mit dem Thermomix **Lebensmittelreste verwerten** kannst, anstatt sie in die Tonne wandern zu lassen. Hast du zum Beispiel schon einmal Avocado-Kerne zu einem vitaminreichen Smoothie-Pulver gemahlen? (Kapitel 5)
- **herausfordernde Gerichte** zu perfektionieren. Unter anderem findest du in diesem Buch eine Anleitung, wie du den perfekten Milchschaum, Eischnee und die perfekte Schlagsahne im Thermomix zubereitest! (Kapitel 2)
- zu wissen, welche **anderen Küchengeräte** du gut mit dem Thermomix kombinieren kannst. Thermomix und Pasta Maker sind zum Beispiel ein absolutes Traumpaar, wenn du gerne frische Nudeln zubereitest! (Kapitel 3)
- deinen Thermomix dazu zu verwenden, deine **Kochweise und Backweise komplett umzustellen**, sodass du weniger Fertigprodukte kaufen musst. Beispielsweise kannst du mit dem Thermomix ganz einfach dein eigenes Mehl mahlen! (Kapitel 2)
- herauszufinden, wie du **Gefahrensituationen ganz einfach vermeiden kannst**. Zum Beispiel gibt es ein paar einfache Tricks, um ein Überkochen des Thermomix zu verhindern! (Kapitel 3)

- zu wissen, wie du dir das **Leben mit dem Thermomix (noch) einfacher** machst. Beispielsweise kannst du den Garkorb verwenden, um ein Hochfliegen des Inhalts beim Mixen zu verhindern! (Kapitel 3)
- dich mit dem Thermomix **gesund zu ernähren**. Natürlich spielen neben deiner Ernährungsweise viele weitere Faktoren eine Rolle, aber der Thermomix kann dir dabei helfen, einer gesunden und abwechslungsreichen Ernährung zu folgen, die auch noch Spaß macht, wie du in Kapitel 7 erfahren kannst.
- zu lernen, wie du den Thermomix **auf einfache Weise reinigst**, und dies ausschließlich mit natürlichen "Reinigungsmitteln", wenn du möchtest (Kapitel 4). Oder wie du zwei Fliegen mit einer Klappe schlägst, und beispielsweise nach der Marmeladenzubereitung einen Milchshake zauberst, wodurch du weniger zu reinigen hast und eine süße Belohnung obendrauf erhältst! (Kapitel 6)
- deinen Thermomix so zu verwenden, dass **häufige Probleme** gar nicht erst auftreten. Und falls diese auftreten - z.B. die Waage verrücktspielt - kannst du anhand einfacher Tricks das Problem meist selbst lösen! (Kapitel 2)
- Inspirationen darüber zu finden, welche beinahe **unbegrenzten Möglichkeiten** dir der Thermomix und sein Zubehör bieten. Wusstest du zum Beispiel, dass du im Varoma auch Früchte entsaften kannst? (Kapitel 2)

Und noch so einiges mehr! Vielleicht hast du den Thermomix erst seit kurzem und bist etwas überfordert von der Vielzahl an Möglichkeiten und kannst dich nicht entscheiden, wo du anfangen sollst bei so vielen Rezepten und Funktionen? In diesem Fall nimmt dich dieser Ratgeber gerne an die Hand und führt dich durch das Labyrinth der Funktionen und Anwendungsmöglichkeiten.

Als Neueinsteiger erhältst du damit innerhalb kürzester Zeit einen guten Überblick und kannst das Potenzial des Thermomix von Anfang an voll ausnutzen. So einige hilfreiche Hinweise erleichtern dir dabei den Einstieg in die neue Welt des Erlebniskochens mit dem Thermomix. Beispielsweise lernst du in diesem Ratgeber, wie du den Thermomix am einfachsten reinigst, je nachdem wie stark der Verschmutzungsgrad ist und was du zubereitet hast. Außerdem erfährst du, wie du Gerichte, an die du dich vielleicht zunächst nicht herangetraut hättest, wie etwa solche, die das Fermentieren erfordern, ganz einfach Schritt für Schritt zubereitest.

Auch als alteingesessener Thermomix-Nutzer wirst du sehen, dass dieser Ratgeber nur so vor hilfreichen Tipps und Tricks strotzt und dich dazu anregt, neue Dinge mit deinem Thermomix auszuprobieren. So gesehen hilft dir dieses Buch dabei, den Thermomix und die Möglichkeiten, die er bietet, besser kennenzulernen als je zuvor. Denn man lernt nie aus, insbesondere nicht beim Thermomix!

Als du deinen Thermomix erhalten hast (egal wie lange das her ist), war es sicher Liebe auf den ersten Blick, und du hast auch gleich zu Anfang jede Menge gelernt. Nun wird es Zeit, die nächste Phase einzuläuten, in der eure Beziehung mehr in die Tiefe gehen wird und du das volle Potenzial deines Thermomix – und ja, auch einige seiner Macken und wie du mit ihnen am besten umgehst – kennenlernen wirst! Um deinen (Koch-)Partner besser zu verstehen, hilft es, mehr über ihn zu wissen und wie er eigentlich entstanden ist!

1.1 Die Entstehungsgeschichte des Thermomix & einige interessante Anekdoten

Der Thermomix ist der Verkaufsschlager der Firma Vorwerk. Die damalige "Barmer Teppichfabrik Vorwerk & Co" wurde 1883 von Carl und Adolf Vorwerk als Teppichfabrik in Wuppertal gegründet. Teppiche verkauft sie immer noch (und sogar Wasserfilter und Kosmetikartikel), mittlerweile aber als internationale Unternehmensgruppe, die weiterhin in der Hand der ursprünglichen Unternehmerfamilie ist.

Der Vorläufer des Thermomix kam 1961 auf den Markt. Er hieß VKM5 und vereinte als Universalküchenmaschine ganze sieben Funktionen, nämlich Rühren, Kneten, Schneiden, Raspeln, Mixen, Mahlen und Entsaften. Erhitzen konnte dieser Urvater des Thermomix aber noch nichts.

Die wahre Erfolgsgeschichte begann in den 70er Jahren in Frankreich, als der damalige Geschäftsführer von Vorwerk bemerkte, dass verdickte Suppen in Frankreich ein Renner waren. Das brachte ihn auf die Idee, eine Küchenmaschine auf den Markt zu bringen, die sowohl Rühren als auch Erhitzen konnte. 1971 kam dann der VM2000 auf den französischen Markt, der eben diese Funktionen vereinte.

1980 folgte dann schließlich der TM3000, der zum ersten Mal als "Thermomix" vorgestellt wurde. Danach kamen der TM3300 und der TM21 und TM31 sowie der TM5, bis 2019 der neue Thermomix TM6 präsentiert wurde. Jeder Thermomix bietet neue Innovation: während der TM31 nur durch 13 Patente geschützt war, waren es beim TM5 schon 151 Patente. Mittlerweile steht der Thermomix in Millionen Küchen in Europa, aber auch in China, Mexiko, Australien und Taiwan. Eine unterhaltsame Anekdote am Rande: im Jahr 2013 wurden in Portugal, wo der Thermomix als „Bimby" vermarktet wird, mehr Ausgaben des begleitenden Bimby-Magazins verkauft als Ausgaben der Vogue.

1.2 Was kann der Thermomix eigentlich alles (und was ist anders beim TM6)?

Der neue TM6 ist mit einem 500 Watt Motor ausgestattet, der von 40 Umdrehungen pro Minute (in der Sanftrührstufe) auf bis zu sage und schreibe 10.700 Umdrehungen (in der Turbo-Stufe) schalten kann. Die neue Waage wiegt in Stufen von 1 Gramm, wodurch Sous-Vide Garen erleichtert wird. Der Mixtopf fasst weiterhin 2,2 Liter und der Thermomix an sich bringt stolze 8 Kilo auf die Waage – dafür ist er randvoll mit vielseitigen Technologien. Neben den bisherigen 12 Funktionen kann der neue Thermomix TM6 nun sogar Anbraten und Karamellisieren, da er auf bis zu 160 Grad erhitzt. Zusätzlich kannst du mit dem neuen Thermomix auch fermentieren und damit Lebensmittel länger haltbar machen. Alles in allem bietet der Thermomix damit 16 Funktionen – von A wie Anbraten bis Z wie Zerkleinern bietet er dir eine unglaubliche Menge an Möglichkeiten, was die Zubereitung deiner Gerichte betrifft. Zusätzlich wird dir das Reinigen durch den Vorspül-Modus erleichtert. Weitere neue Voreinstellungen sind der Wasserkoch-

Modus, der Pürier-Modus (wodurch Suppen noch einfacher zubereitet werden können!).

Auch beim Zubehör hat sich einiges getan: es ist ein Spritzschutzdeckel hinzugekommen. Der Spatel liegt dank neuer Griffmulden besser in der Hand und seine Spitze ist flexibler, sodass du den Mixtopfdeckel leichter auskratzen kannst. Der Messbecher ist schwerer, sodass er beim Pürieren nicht mehr klackert und den beim Kochen entstehenden Lärm besser dämpft.

Beim TM6 ist Cookidoo bereits integriert, sodass du keinen extra Chip mehr benötigst. Das 2019er Thermomix Modell ist mit einem größeren Bildschirm ausgestattet, bietet integriertes WLAN und kann automatische Software-Updates erhalten. Der TM6 besitzt den Prozessor und die Speicherkapazität eines Smartphones, womit der Thermomix im Jahr 2019 angekommen ist und mit dem VM2000 und seinen sieben Funktionen nicht mehr viel gemein hat. Und psst – der TM6 ist jetzt auch etwas leiser als seine Vorgänger!

1.3 Kurzer Überblick über diesen Ratgeber

Jetzt hast du den Thermomix und seine besonderen Eigenschaften bereits etwas besser kennengelernt, lass uns also ans Eingemachte gehen und den Thermomix in der Anwendung näher kennenlernen! Zunächst wirst du in **Kapitel 2** durch die verschiedenen Funktionen geführt, die der Thermomix bietet. Viele dieser Funktionen verwendest du sicher täglich, aber einige vielleicht weniger häufig und andere vermutlich immer auf die gleiche Weise. Dabei kannst du den Thermomix beispielsweise auch zum Kaffee mahlen verwenden, wusstest du das? Außerdem erfährst du einige Tipps, wie du den klassischen Milchschaum aus dem Thermomix perfektionierst und so zum Hobby-Barista aufsteigst.

In **Kapitel 3** wird näher auf das Zubehör des Thermomix eingegangen. Dort lernst du zum einen, wie du das beim Thermomix mitgelieferte Zubehör von G wie Garkorb bis V wie Varoma optimal einsetzt und z.B. dem Spatel eine längere Lebensdauer schenkst oder den Schmetterling korrekt einsetzt. Außerdem kannst du dich inspirieren lassen, welches weitere Zubehör du dir vielleicht zulegen möchtest, angefangen bei speziell geformten Bürsten zum Reinigen der Mixmesser bis hin zu zusätzlichen Küchengeräten, die den Thermomix optimal ergänzen. Zum Beispiel wird der Thermomix als Teigkneter in Kombination mit einem Pasta Maker das Herz jedes Pasta Liebhabers höherschlagen lassen!

Kapitel 4 dreht sich rund um das Thema Reinigen des Thermomix. Du erfährst nicht nur, wie du deinen Thermomix je nach Verschmutzungsgrad am besten reinigst, sondern auch, wie du Verbranntes, Verfärbungen und unangenehme Gerüche schnell und einfach wieder loswirst. Gut zu wissen ist auch, wie du Teigreste auf unkomplizierte Weise aus dem Mixtopf bekommst.

Kapitel 5 lädt dich ein, die Welt der Resteverwertung besser kennenzulernen. Oder sollen wir es lieber "Trash Dining" nennen? Es ist jedenfalls spannender, als du vielleicht denkst. Zunächst lernst du, wie du Reste von vornherein vermeiden kannst, in etwa indem du deinen Einkauf und Lebensmittelbedarf für die Woche im Voraus planst. Im nächsten Schritt zeige ich dir anhand des kleinen ABC der Resteverwertung, wie du Lebensmitteln, die du normalerweise in den Mülleimer geben würdest, eine zweite Chance gibst und sie in etwas Leckeres verwandelst. Beispielsweise eignet sich jede Art von nicht mehr ganz so ansehnlichem, überreifem Obst für einen Smoothie, der geschmacksintensiver ist als mit noch grünem Obst. Außerdem erfährst du, wie du Teile von Lebensmitteln, die du normalerweise wegschneiden oder entfernen würdest, zum Beispiel Bananenschalen, zum Kochen und Zubereiten von überraschenden und raffinierten Gerichten verwenden kannst.

In **Kapitel 6** lernst du einige ungewöhnliche Ideen kennen, wofür du deinen Thermomix noch so alles verwenden kannst. Wusstest du zum Beispiel, dass er sich nicht nur hervorragend zum Vorbereiten von Backzutaten, sondern auch zum Herstellen von selbstgemachtem Likör eignet? Außerdem kannst du im Thermomix nicht nur Essbares zubereiten, er eignet sich auch hervorragend dazu, deine eigenen Kosmetikprodukte, die garantiert ohne Zusätze sind, ganz einfach frisch zuzubereiten! Nicht zuletzt geht dieses Kapitel darauf ein, welche Zubereitungsweisen der Thermomix noch nicht gestattet und wie du diese trotzdem durchführen kannst. Aber wie du dir denken kannst, sind es nur wenige Funktionen, über die der Thermomix noch nicht verfügt.

Kapitel 7 rundet diesen Ratgeber mit jeder Menge Tipps ab, wie dich der Thermomix dabei unterstützen kann, dein Wohlfühlgewicht zu erreichen und zu halten. Von einigen Empfehlungen zur Auswahl gesunder Lebensmittel bis hin zu Vorschlägen, wie du am besten an abwechslungsreiche, gesunde und auf den Thermomix abgestimmte Rezepte gelangst, bietet dir dieses Kapitel eine Einführung in das Thema gesunde Lebensführung in Verbindung mit dem Thermomix.

Jede Menge Infos also, die dich sicherlich einige Zeit beschäftigen werden! Welches Kapitel interessiert dich am meisten? Du entscheidest, ob du bei Kapitel 1 anfängst oder zu neugierig darauf bist, was man mit Bananenschalen denn so anfangen kann und doch lieber gleich bei Kapitel 5 einsteigst. Viel Spaß auf deiner Reise mit dem Thermomix!

2
Geniale Tricks zu den Thermomix-Funktionen

Der Thermomix ist die vielseitigste Küchenmaschine, die es gibt. Nicht irgendeine Küchenmaschine, sondern *die* Küchenmaschine schlechthin. Der Zaubertopf, der einfach alles kann, und vieles auch noch gleichzeitig. Dank seiner sage und schreibe 12 Funktionen (beziehungsweise sogar 16 Funktionen beim neuen TM6) kannst du im Thermomix Gerichte gleichzeitig zubereiten, für die du normalerweise vier Töpfe benötigen würdest und die ohne Thermomix auch deutlich mehr Zeit in Anspruch nehmen würden.

In ein und demselben Küchengerät kannst du eine Vielzahl an Zubereitungsweisen wählen, für die du normalerweise jeweils eine eigene Küchenmaschine benötigen würdest. Beispielsweise vereint der Thermomix die Funktionen einer Waage, eines Mixers, eines Rührgeräts, einer Pfeffermühle, eines Herds - ja, selbst einen Backofen kann der Thermomix bis zu einem gewissen Grad ersetzen. Ebenso eine Teigmaschine und eine Sous-Vide Küchenmaschine.

Das Besondere am Thermomix ist, dass er dir die Möglichkeit bietet, nicht nur vergleichsweise wenig anspruchsvolle Zubereitungsweisen wie etwa das Mixen durchzuführen, sondern auch raffinierte Zubereitungsmethoden wie das Zubereiten einer Karamellsauce oder Slow Cooking von Lammfleisch. Dank der Anleitung durch den Thermomix und dessen Programmierbarkeit kannst du Sachen wie ein

Sternekoch auf den Tisch zaubern. Dadurch, dass du Vorgangsdauer und Temperatur beim Thermomix so genau einstellen kannst, bringst du deine Gerichte zur Perfektion. Wusstest du beispielsweise, dass Baiser durch das Zuführen von etwas Wärme während des Eisschneeschlagens die perfekte Festigkeit erhält?

Eine große Anzahl und Bandbreite an Funktionen sind aber natürlich erstmal nur in der Theorie praktisch. Meist fehlt eine einfache Anleitung, wie du all diese Funktionen optimal einsetzt und alle Möglichkeiten des Thermomix voll ausschöpfst. Im Folgenden findest du viele hilfreiche Tipps, auf was du bei den jeweiligen Funktionen unbedingt achten solltest, damit du sowohl grundsätzliche Sicherheitsvorkehrungen einhältst, als auch die vollen Einsatzmöglichkeiten jeder Funktion optimal zur Geltung bringst. Mit diesen Tricks kannst du das Potenzial deines Thermomix auszunutzen und seine umwerfende Vielseitigkeit erleben!

2.1 Kurzer Überblick über dieses Kapitel

Wenn du auch findest, dass es an der Zeit ist, deinem Thermomix einmal so richtig auf den Zahn zu fühlen und herauszufinden, was er eigentlich alles kann, dann kannst du dich auf die folgenden dreizehn Unterkapitel freuen.

Den Anfang macht ein Abschnitt zum Thema **Vorbereiten** – denn wie jeder Profikoch bestätigen wird, ist diese das A und O, um in entscheidenden Momenten während des Kochens und Zubereitens nicht in Stress zu geraten.

Anschließend lernst du, was es beim **Wiegen** und im Umgang mit der manchmal etwas empfindlichen Waage des Thermomix zu beachten gibt.

Zum Thema **Zerkleinern** erfährst du einige Tipps, wie du genau den gleichmäßigen Zerkleinerungsgrad erhältst, den das jeweilige Gericht oder Lebensmittel erfordert.

Beim **Mahlen** gibt es auch einige Tricks, wie du ein gleichmäßiges Ergebnis erhältst (und gleichzeitig deine Küche sauber hältst). Außerdem kannst du mehr Lebensmittel mahlen, als du vielleicht gedacht hattest, beispielsweise kannst du mit dem Thermomix dein eigenes (glutenfreies) Mehl oder Puderzucker herstellen.

Zum Stichwort **Mixen** lernst du, wie du den Linkslauf am besten einsetzt und welche Tricks es zum Beispiel bei der Zubereitung von Smoothies gibt.

Beim **Vermischen** kannst du dir einige Inspirationen holen, welche süßen und salzigen Kreationen du mit dieser Funktion zaubern kannst.

Außerdem erfährst du, was du zum Thema **kontrolliertes Erhitzen** wissen solltest, um ab sofort die Fertigsaucen links liegen zu lassen und stattdessen deine eigenen frischen Saucen zuzubereiten.

Zum Thema **Kochen** lernst du, wie du etwa ein Überkochen vermeidest oder mehrere Gerichte auf einmal im Thermomix zubereitest. Außerdem erhältst du Tipps, wie du Nudeln im Thermomix zubereitest, ohne dass diese zusammenkleben!

Auch beim **Dampfgaren** gibt es jede Menge Wissenswertes zu erfahren. Angefangen damit, wie du ein gleichmäßig gegartes Ergebnis erhältst, bis zu Tipps, wie du den Thermomix als Backofenersatz einsetzt, indem du Törtchen und Kuchen im Varoma dampfgarst.

Nicht zuletzt kannst du mit dem Thermomix auch **Emulgieren** und dadurch z.B. anspruchsvolle Salatsoßen und Mayonnaise aus frischen Zutaten selbst herstellen!

Außerdem lernst du, wie du den Thermomix als Knetmeister einsetzen kannst und welche verschiedenen Arten an Teigen dir dein Thermomix so luftig und leicht **kneten** kann wie kein anderer!

Das Kapitel zum Thema **Schlagen** wartet mit einigen Tipps, wie du beispielsweise die perfekte Schlagsahne, den perfekten Eischnee und auch den besten Milchschaum aus dem Thermomix zaubern kannst.

Beim Thema **Rühren** kommt der Linkslauf voll auf seine Kosten und dir gelingt das wunderbarste Risotto oder ein köstlicher Milchreis ganz ohne Zusammenklumpen oder Anbrennen.

All diese Funktionen bieten dir sowohl der TM5 als auch der TM6. Die folgenden Funktionen sind beim TM6 hinzugefügt worden und runden seine Einsatzmöglichkeiten mit einigen spannenden Neuerungen ab.

Zunächst einmal kannst du mit dem TM6 auch **Anbraten**, auch wenn das nicht bei allen Lebensmitteln möglich ist. Welchen Lebensmitteln du mit dem Thermomix das richtige Röstaroma verleihen kannst und worauf du dabei besonders achten solltest, erfährst du in diesem Teil des Ratgebers.

Eine weitere zusätzliche Funktion ist das **Karamellisieren**. Mit dieser Funktion kannst du Karamellsaucen oder Karamellbonbons gelingsicher und ohne Schwarzwerden oder Verbrennen wie ein Profi-Konditor bzw. Spitzenkoch zubereiten.

Ein Highlight ist außerdem das **Sous-Vide Garen**. Bei dieser Zubereitungsweise werden Nahrungsmittel besonders schonend im Wasserbad zubereitet, wodurch ihre Geschmacksstoffe intensiver zur Geltung kommen. Dieser Teil des Buches führt dich Schritt für Schritt an diese neue Kochweise heran, bei der nicht nur Fleisch Liebhaber auf ihre kulinarischen Kosten kommen.

Slow Cooking stellt eine weitere aufregende Möglichkeit dar, den TM6 anzuwenden. Ein Tipp vorweg: was normalerweise über zehn Stunden in Anspruch nimmt - die Zubereitung von klassischem Pulled Pork beispielsweise - gelingt im Thermomix in deutlich kürzerer Zeit und das Ergebnis ist mindestens genauso zart …

Nicht zuletzt kannst du mit dem TM6 auch **Fermentieren**. Mit dieser Funktion kannst du dabei nicht nur deinen eigenen Joghurt herstellen, der auch vegan sein kann, sondern auch beispielsweise Hefe gehen lassen.

Fühlst du dich nach diesem kleinen Einstieg in die Vielfältigkeit der Funktionen des Thermomix bereit, mehr zu erfahren? Los geht es jetzt mit einigen Tipps zum Vorbereiten!

2.2 Vorbereiten

Dies ist natürlich keine Funktion des Thermomix, sondern einfach ein Tipp, wie du beim Kochen weniger leicht in Stress gerätst und dir Gerichte optimal gelingen.

Tipp 1: Zutaten und Küchenutensilien bereitstellen
Insbesondere, wenn du mit der Guided Cooking Funktion kochst, machst du dir das Leben deutlich einfacher, wenn du alle Lebensmittel, die du vorab wiegen, klein schneiden oder anderweitig bereitstellen kannst, schon einmal vorbereitest. Gerade flüssige Zutaten oder Zutaten, die aus verschlossenen Dosen oder Flaschen entnommen werden, können dich sonst ganz schnell in Stresssituationen bringen – beispielsweise, wenn du das Curry mit der Kokosmilch ablöschen möchtest, aber der Dosenöffner streikt! Auch was du an Küchenutensilien benötigst – etwa Messer und Schneidebretter – solltest du am besten vorab griffbereit bereitstellen, sodass du sie schnell zur Hand hast, wenn ihr Einsatz gefragt ist.

Tipp 2: Auf die Temperatur der Lebensmittel achten
Bei manchen Rezepten wird das Ergebnis von der Temperatur der Lebensmittel entscheidend beeinflusst. Für ein gutes Gelingen solltest du beispielsweise beim Schlagen von Sahne darauf achten, dass du die Sahne direkt aus dem Kühlschrank entnimmst, dann hat sie die optimale Temperatur und die Sahne wird schön steif (mehr dazu, wie dir die perfekte Schlagsahne gelingt, findest du unter "Schlagen").

2.3 Wiegen

Reis für drei Personen? 50 Gramm Butter für den Kuchenteig? Oder zehn Milliliter Olivenöl für die Vinaigrette? Egal wofür du deinen Thermomix einsetzt, mit dem Abwiegen der Zutaten fängt alles an. In präzisen Ein-Gramm-Schritten (beim TM6) beziehungsweise Fünf-

Gramm-Schritten (beim TM5) wiegt der Thermomix alle Zutaten bis zum Maximalgewicht von sechs Kilogramm genau ab. Du kannst die Zutaten zum Abwiegen entweder in den Mixtopf, den Gareinsatz oder in den Varoma hineingeben. Wie bei einer normalen Waage auch, kannst du mehrere Zutaten nacheinander im gleichen Behälter abwiegen, indem du nach dem Hinzufügen jeder Zutat die Tara-Taste drückst.

Worauf du beim Wiegen besonders achten solltest

Um Flüssigkeiten einzeln abzuwiegen, stellst du am besten eine Kanne oder einen Krug auf den Mixtopfdeckel, drückst auf Tara, um das Gewicht des Behälters abzuziehen und fügst anschließend alle Zutaten wie gewohnt hinzu. Bei vergleichsweise kleinen Mengen und leichten Zutaten, z.B. zehn Gramm Kakao, Puderzucker oder Speisestärke, empfiehlt es sich, einen Löffel zur Hilfe zu nehmen, um nicht versehentlich zu viel in den Topf zu geben.

Außerdem ist es wichtig zu wissen, dass sich beim Thermomix die Waage in den Standfüßen befindet. Das bedeutet, dass du darauf achten solltest, dass der Thermomix auf einer ebenen, unnachgiebigen Oberfläche steht, alle Füßchen sauber sind und gleichmäßig Kontakt zur Arbeitsfläche haben. Weiterhin solltest du natürlich nicht versehentlich Druck auf die Waage ausüben (etwa, indem du deine Hand beim Wiegen auf dem Mixtopf abstützt) und darauf achten, dass das Kabel deines Thermomix frei liegt.

Tipp 1: Was tun, wenn die Waage nicht funktioniert?

Sollte die Waage auf einmal nicht mehr reagieren, sind meist die Füßchen verschmutzt oder die Waage steht nicht waagerecht. Ein weiterer möglicher Grund ist, dass das Kabel unter Zugspannung steht und die Genauigkeit der Waage beeinflusst.

Also die Standfüße vorsichtig mit einem feuchten Tuch von möglichen Verschmutzungen oder Krümeln befreien, überprüfen, ob das Kabel locker ist, wenn nötig die Schrauben festziehen und anschließend die Waage so gerade wie möglich wieder an ihren Platz stellen. Sollte sie weiterhin nicht funktionieren, am besten den Thermomix komplett ausschalten, den Stecker ziehen und eine gute Minute warten, bis du den Thermomix wieder anschaltest und es erneut versuchst.

Um zu vermeiden, dass die Füße des Thermomix mit Krümeln in Kontakt kommen – insbesondere, wenn du deinen Thermomix häufig umstellst – empfiehlt sich ein Gleitbrett (siehe Kapitel 3) oder sich aus einem rutschfesten, leicht zu reinigenden Material selbst ein Gleitbrett zu basteln.

Tipp 2: Was tun, wenn ich vergessen habe, auf Tara zu drücken, den Deckel aber schon abgehoben habe?

In der Eile des Gefechts kann es leicht passieren, dass man die Reihenfolge durcheinanderbringt und beispielsweise aus Versehen den Deckel schon abgehoben hat, bevor man die Waage auf null setzen konnte. In solchen Momenten ist es hilfreich, die genauen Gewichtsangaben der einzelnen Komponenten des Thermomix zu kennen und diese einfach abzuziehen:

Komponente	Gewicht
Messbecher	40 g
Garkörbchen	125 g
Mixtopfdeckel	245 g
Mixtopfdeckel mit Messbecher	285 g
Mixtopf	1.130 g
Mixtopf komplett mit Deckel und Messbecher	1.415 g

Gut zu wissen

Wenn du dir nicht sicher bist, ob die Waage deines Thermomix noch exakt wiegt, kannst du einfach eines der Zubehörteile wiegen und überprüfen, ob die Zahl auf der Waage dem erwarteten Gewicht entspricht!

Tipp 3: Profi-Tipp beim Backen
Die Waage deines Thermomix zeigt auch negative Mengen an. Wenn du beispielsweise einen Teig in gleich großen Portionen aus dem Thermomix entnehmen möchtest, stellst du die Waage einfach auf null und entnimmst so viel wie nötig, bis das gewünschte Gewicht als Negativbetrag angezeigt wird. Dadurch haben deine gebackenen Leckereien alle genau die gleiche Größe und werden im Ofen gleichmäßig gebacken, sodass deine Brezeln, Brötchen und andere Backwaren gleich aussehen und gleichermaßen knusprig und goldbraun aus dem Ofen kommen.

Gut zu wissen
Wenn du mit Guided Cooking kochst, musst du die Waage nicht extra einschalten – sie schaltet sich praktischerweise beim entsprechenden Arbeitsschritt von selbst ein.

2.4 Zerkleinern

Tränende Augen vom Zwiebelschneiden oder mühsames Zerbrechen von Schokotafeln ist mit dem Thermomix eine Sache der Vergangenheit – von harten bis zu weichen Zutaten zerkleinert dir der Thermomix alles in Windeseile! Ob Eiswürfel, Fleisch für Wurst oder Hackfleisch oder Obststücke für einen leckeren Kuchen – einfach die gewünschte Stufe wählen, und du erhältst ein gleichmäßig zerkleinertes Resultat.

Worauf solltest du beim Zerkleinern achten?
Essenziell ist es, beim Zerkleinern die richtige Drehzahlstufe zu wählen, je nachdem wie fein oder grob das Ergebnis werden soll und wie hart die Lebensmittel sind. Wählen kannst du beim Zerkleinern zwischen den Drehzahlstufen 4 bis 10.

Hier ein paar Beispiele: Für Gemüse und Obst eignet sich meist eine Drehzahlstufe zwischen 4 und 5. Um eine feine Fischmousse zu erhalten, zerkleinerst du den gefrorenen Fisch am besten bei Stufe 8. Parmesan zerkleinerst du vorzugsweise auf Stufe 10, so kannst du ihn anschließend gut über die Nudeln streuen.

Tipp 1: Zutaten vorab in Stücke schneiden oder brechen
Um ein möglichst gleichmäßiges Ergebnis zu erzielen – ohne dass manche Stücke deutlich kleiner zerteilt wurden als andere – ist es ein guter Trick, Gemüse, wie etwa Karotten, vorab kleinzuschneiden und Schokoladentafeln zum Beispiel vorab in Stücke zu brechen.

Tipp 2: Zuerst die harten, dann die weichen Zutaten einfüllen
Wenn du etwa verschiedene Gemüsesorten für einen Rohkostsalat mit dem Thermomix zerkleinern möchtest, solltest du mit den härteren Zutaten beginnen, diese etwas zerkleinern und anschließend die nächst härteren Zutaten zugeben und so weiter. So verhinderst du, dass weichere Zutaten zu sehr zerkleinert werden, während die härteren Zutaten noch in großen Stücken vorhanden sind.

Tipp 3: Nur trockene Kräuter zerkleinern
Achte darauf, dass du nur trockene Kräuter zerkleinerst. Feuchte Kräuter bleiben eher am Messer hängen, als zerkleinert zu werden, und sind schwieriger zu schneiden. Das heißt, wenn die Kräuter gewaschen werden müssen, dann solltest du anschließend mit der Weiterverarbeitung warten, bis die Kräuter getrocknet sind. Oder du tupfst sie etwa mit einem Küchentuch trocken, das gilt besonders für Schnittlauch.

Gut zu wissen
Mit deinem Thermomix kannst du hervorragend Orangen- oder Zitronenzesten herstellen. Einfach Bio-Zitrusfrüchte besorgen, schälen und die Schalenstücke in den Mixtopf füllen. Nach 10 bis 15 Sekunden bei Stufe 8 sind deine Zesten fertig! Du kannst Zitronen- und Orangenzesten auch auf Vorrat vorbereiten, indem du sie nach dem Zerkleinern einfach einfrierst und anschließend nach Bedarf aus dem Gefrierschrank holst.

2.5 Mahlen

Was ohne den Thermomix ein ewiges Drehen an der Gewürzmühle bedeuten würde, ist mit dem Thermomix im Handumdrehen erledigt und viel feiner gemahlen als es per Hand überhaupt möglich ist.

Du kannst mit deinem Thermomix Nüsse und Körner wie Mohn oder Sesam im gewünschten Feinheitsgrad mahlen – und das ruckzuck. Und nicht nur das, du kannst mit dem Thermomix sogar dein eigenes frisch gemahlenes Mehl herstellen, das viel länger haltbar ist als bereits gemahlenes Mehl und um Welten besser schmeckt! Greife das nächste Mal also nicht zur Mehlpackung, sondern lieber zu den Getreidekörnern. Zu Hause kannst du dir dann ganz einfach dein eigenes Weizen-, Dinkel- oder Roggenmehl herstellen. Auch getrocknete Hülsenfrüchte wie Bohnen, Linsen und Kichererbsen eignen sich hervorragend, um daheim glutenfreies Mehl zu mahlen.

Genauso einfach kannst du Puderzucker produzieren, indem du Zucker innerhalb von 15 bis 20 Sekunden auf der höchsten Stufe zu feinstem Pulver zermahlst. Oder wie wäre es, wenn du noch etwas Vanilleschote hinzufügst und deinen eigenen Vanille-Puderzucker kreierst? Deiner Fantasie sind keine Grenzen gesetzt.

Worauf solltest du beim Mahlen achten?
Da du beim Mahlen ein sehr feines und gleichmäßig gemahlenes Ergebnis erzielen möchtest, solltest du darauf achten, dass du keine zu großen Mengen auf einmal einfüllst, sondern die Gesamtmenge zum Beispiel lieber in zwei Portionen von jeweils 100 bis 200 Gramm aufteilst.

Tipp 1: Den Deckel abdichten
Gerade beim Mahlen von sehr feinen, leichten Zutaten wie etwa Puderzucker kann es schnell passieren, dass es während des Vorgangs etwas staubt. Um dies zu vermeiden, nimmst du einfach eine Stoffserviette oder ein Küchentuch und legst es vor dem Mahlvorgang auf den geschlossenen Mixtopfdeckel, bevor du den Messbecher einsetzt.

Tipp 2: Das Garkörbchen verwenden
Ein weiterer Trick besteht darin, den Garkorb einzusetzen, nachdem du den Mixtopf mit den zu mahlenden Zutaten gefüllt hast. Dadurch verhinderst du, dass die Zutaten beim Mahlen an den Seiten bis zum Deckel hochgeschleudert werden und es staubt deutlich weniger aus dem Messbecher. Außerdem können die Zutaten nicht so weit hochfliegen, sondern bleiben näher am Messer, wodurch du gleichmäßigere Resultate erhältst.

Tipp 3: Lärm beim Mahlvorgang reduzieren
Wenn dir der Thermomix beim Mahlen von Körnern oder Nüssen zu geräuschintensiv ist, kannst du einfach einen Esslöffel bereits gemahlenes Mehl hinzufügen – und schon geht der Mahlvorgang deutlich leiser vonstatten!

Gut zu wissen
Du kannst mit deinem Thermomix ganz einfach frisch gemahlenen Pfeffer zubereiten und dir damit eine Pfeffermühle sparen. Es muss auch kein normaler Pfeffer sein, wie wäre es zur Abwechslung einmal mit Papayakern-Pfeffer? Die Anleitung findest du in Kapitel 5.

2.6 Mixen

Eine der am meisten genutzten Funktionen: der Thermomix als Mixer! Der Thermomix ist mit extrem robusten Edelstahlklingen und einem starken 500 Watt-Motor ausgestattet, der bis zu 10.700 Umdrehungen pro Minute schafft, das heißt deinen Mixphantasien sind definitiv keine Grenzen gesetzt. Von Smoothies über Cocktails bis hin zu Sorbet und Eiscreme kannst du mit dem Thermomix alle möglichen frisch gemixten Erfrischungen herstellen. Auch eine cremige Suppe oder einen Beerenmix für deine Smoothie-Bowl zauberst du im Nu aus dem Thermomix!

Worauf du beim Mixen achten solltest
Wähle beim Mixen stets eine Geschwindigkeit im oberen Drehzahlbereich, also Stufe 6 bis 10. Je nach Zutat erhältst du dann bereits nach wenigen Sekunden eine Mischung mit etwas Biss und wenige Augenblicke später bereits eine glatt gemixte Mischung. Achte darauf, beim Mixen die Drehzahl langsam zu erhöhen, um ein gleichmäßiges Ergebnis zu erzielen und ein Herumspritzen der Zutaten zu vermeiden.

Tipp 1: Linkslauf wählen, um Stückchen mit Biss zu behalten
Du möchtest deine Suppe cremig, aber es soll kein Einheitsbrei werden? Wähle das Linkslaufsymbol und es bleiben ein paar Stückchen erhalten, die deiner Suppe den richtigen Biss geben.

Tipp 2: Gefrorenes Obst ersetzt Eiswürfel im Smoothie
Wenn du dir die Eiswürfel sparen möchtest (die einen Smoothie sowieso schnell zu wässrig werden lassen), kannst du das Obst auch einfach ein bis zwei Stunden vor der Zubereitung in den Gefrierschrank legen und anschließend im (halb-) gefrorenen Zustand mixen – der Thermomix schafft das problemlos und dein Smoothie ist perfekt gekühlt und geschmacksintensiv!

2.7 Vermischen

Beim Vermischen werden Backträume wahr. Ob Käsekuchen oder Schokoladentorte – der Thermomix vermischt die Kuchenfüllung "mit Gefühl", bis keine Klümpchen mehr vorhanden sind und du eine gleichmäßig homogene Masse erhältst. Auch für salzige Kreationen eignet sich der Thermomix hervorragend: wie wäre es mit einem Frischkäse-Dip für Rohkost oder als Brotaufstrich? Oder Hummus mal anders, mit Mango oder Rote Beete?

Worauf du beim Vermischen besonders achten solltest
Beim Vermischen gibt es nicht viel zu beachten, einfach alle Zutaten in den Mixtopf geben und bei Stufe 3 vermischen, bis du ein gleichmäßiges Resultat erhältst.

Gut zu wissen
Die Vermisch-Funktion eignet sich hervorragend, um Butter in ein kulinarisches Highlight am Esstisch zu verwandeln – wie wäre es mit selbst gezauberter Kräuterbutter, fruchtiger Orangenbutter oder süßer Honig-Zimt-Butter? Butter war noch nie so aufregend!

2.8 Kontrolliert erhitzen

Vergiss das umständliche Erhitzen im Wasserbad und ständiges Kontrollieren der Temperatur bei raffinierten Saucen! Dein Thermomix erhitzt deine Zutaten dank des eingebauten hochpräzisen Temperaturfühlers genau auf die eingestellte Temperatur und hält diese Temperatur konstant für die gewünschte Dauer, damit deine Saucen perfekt gelingen! Selbstgemachte Hollandaise-Sauce, Béchamelsauce oder Zabaglione schüttelst du auf diese Weise viel einfacher aus dem Ärmel. Ohne, dass je etwas gerinnt, klumpt oder anbrennt, denn der Thermomix überschreitet niemals die gewählte Temperatur.

Worauf du beim kontrollierten Erhitzen achten solltest
Auch hier gilt: Dein Thermomix übernimmt wirklich alle Arbeit für dich, genau das ist hier der Vorteil. Anstatt Temperaturen zu messen und dich um dein Wasserbad zu kümmern, kannst du dich also ganz entspannt zurücklehnen, während dein Thermomix deine Saucen und andere Zutaten nach deinem Wunsch erhitzt. Falls doch einmal etwas anbrennt oder Flüssigkeiten überspritzen, findest du in Kapitel 3 Hinweise, wie du damit umgehst!

Gut zu wissen
Wenn du einen TM5 in deiner Küche stehen hast, kannst du die Funktion des kontrollierten Erhitzens auch dafür verwenden, Lebensmittel nach der Sous-Vide Methode zuzubereiten. Mehr dazu kannst du im Kapitel 6 nachlesen!

2.9 Kochen

Das Herzstück des Thermomix: erwärmen, kochen und dünsten im Mixtopf quasi mit Geling-Garantie: du wählst einfach Zeit, Temperatur und Drehzahl je nach Lust, Laune oder Rezept und anschließend übernimmt der Thermomix die Arbeit, ohne dass je etwas anbrennt. Einen unwiderstehlichen Pudding oder ein herzhaftes Gulasch zauberst du so ganz entspannt aus dem Ärmel, ohne ständig umrühren zu müssen. Du kannst dabei wählen, ob du manuell oder mit der Guided Cooking Funktion kochen möchtest.

Worauf du beim Kochen achten solltest
Wenn ein Rezept eine hohe Temperatur vorgibt oder der Mixtopf sehr vollgefüllt ist, kann es vorkommen, dass der Thermomix überzukochen droht. Statt die Temperatur gleich herunterzudrehen – was logisch erscheinen würde –, erhöhe zuerst die Drehzahl und das Problem ist dadurch meist sofort gelöst! Sollte dieser Trick nicht helfen, kannst du die Gartemperatur immer noch auf 90 Grad stellen.

Um ein Überspritzen von Flüssigkeiten zu vermeiden, solltest du die Geschwindigkeit und Temperatur beim Zubereiten von heißem Essen stets schrittweise erhöhen.

Tipp 1: Gleichzeitig kochen und dampfgaren

Du sparst dir mit dem Thermomix einiges an Zeit, indem du beispielsweise Einlagen für Suppen gleichzeitig im Varoma dampfgarst, während die Suppe im Mixtopf blubbert. Oder du kochst Kartoffeln im Mixtopf und garst gleichzeitig feinen Seelachs im Varoma, sodass du zwei Fliegen mit einer Klappe schlägst! Du kannst sogar auf drei Ebenen gleichzeitig kochen: eine Schicht im Mixtopf, die zweite im Varoma-Behälter und die dritte im Varoma-Einlegeboden. Gewusst wie!

Tipp 2: Garzeiten je nach Vorliebe anpassen

Die angegebenen Garzeiten beim Thermomix sind darauf ausgelegt, dass das Gemüse recht bissfest bleibt. Wenn du es lieber etwas weicher magst, kannst du den Garzeiten beim Guided Cooking oder Selbstkochen einfach ein paar Minuten hinzufügen. Alternativ kannst du auch kochendes statt kaltes Wasser verwenden, wodurch du dich weiterhin an die Zeitangaben des Rezepts halten kannst und auf einfache Weise die Garzeit verlängerst.

Tipp 3: Nudeln im Thermomix kochen

Wenn du Nudeln im Thermomix zubereitest, gibt es ein paar wichtige Tricks, damit sie schön al dente werden und vor allem nicht zusammenkleben. Bei langen Nudeln wie Spaghetti, Linguine oder Makkaroni solltest du maximal 250 Gramm Nudeln auf einmal kochen, sonst verkleben sie leicht. Kurze Nudelsorten gelingen auch in größeren Mengen. Wichtig ist beim Nudelkochen stets: den Linkslauf nicht vergessen, er verhindert ein Zusammenkleben der Nudeln.

Tipp 4: Marmelade einkochen mit dem Thermomix

Natürlich kannst du mit deinem Thermomix nicht nur Herzhaftes, sondern auch Süßes kochen, insbesondere Marmelade! Mit einem Kilo Früchten kannst du in etwa zwei bis drei Gläser (zu jeweils 450 bis 500 Gramm) mit Marmelade füllen. Wichtig ist, dass du die Einmachgläser vorher mit Wasser und Spülmitteln säuberst, damit deine Marmelade nicht in Kontakt mit Keimen kommt und lange haltbar bleibt! Wenn sich beim Hinzugeben der Früchte Schaum bildet, ist es am besten, geschmacksarmes Pflanzenfett (etwa Kokosfett oder Sonnenblumenöl) hinzuzufügen. Wenn sich beim Kochen eine Schaumkrone gebildet hat, solltest du diese mit der Schaumkelle abschöpfen, bevor du die Marmelade in die Gläser füllst.

Am besten führst du auch eine sogenannte Gelierprobe durch, um herauszufinden, ob deine Marmelade schon fertig ist: einfach einen kleinen Teller für 5 bis 10 Minuten in den Gefrierschrank stellen, dann Marmelade drauftropfen und abkühlen lassen – wenn sie im erkalteten Zustand nicht mehr oder nur zähflüssig nach unten läuft, wenn du den Teller schräg hältst, hat deine Marmelade die perfekte Konsistenz erreicht!

Ein toller Tipp ist auch der Thermomix Etiketten-Designer: Damit kannst du online deine Marmeladen-Etiketten gestalten und selbst ausdrucken (oder ausgedruckt bestellen). Einfach nach "Thermomix Etiketten-Designer" googeln und schon verwandelst du einfache Einmachgläser in wahre Schmuckstücke.

Tipp 5: So gelingt dir die perfekte Buttercreme

Buttercreme ist etwas für Fortgeschrittene, keine Frage. Allzu leicht gerinnt sie oder wird nicht so weich und cremig, wie du es gerne hättest. Folgende Tricks helfen dir, damit dir beim nächsten Mal die perfekte Buttercreme gelingt: Nimm am besten kein vorgefertigtes Vanillepuddingpulver, da dieses gelben Farbstoff enthält und deine Buttercreme dementsprechend sehr gelb wird. Stattdessen kannst du Speisestärke und Vanillezucker oder Sahnepuddingpulver verwenden. Lege die Frischhaltefolie direkt auf die Oberfläche des Puddings, damit sich keine Haut bildet, während er im Kühlschrank kalt wird. Nimm am besten den Pudding zeitgleich mit der Butter aus dem Kühlschrank (die du ja im nächsten Arbeitsschritt benötigst), dadurch mischen sich diese beiden Zutaten besser. Beim Vermischen des Puddings und der Butter unbedingt geduldig sein und den Pudding esslöffelweise hinzufügen. Dann warten, bis sich beides komplett vermischt hat, bevor du den nächsten Löffel hinzufügst – die Mühe lohnt sich! Und noch ein Tipp zum Schluss: Wenn du die Buttercreme in den

Spritzbeutel füllst, diesen am besten in ein kleines Glas legen und an den Seiten umklappen – dann geht das viel einfacher!

Gut zu wissen

Du kannst mit deinem Thermomix sogar Spaghetti Bolognese in ein und demselben Topf zaubern! Suche einfach nach dem "Express One Pot Bolognese" Rezept auf Cookidoo.

2.10 Dampfgaren

Mit der Dampfgarfunktion kannst du im Thermomix Geschmack-schonend und gesund kochen. Ganz ohne Fette oder Öle gelingen dir so raffinierte Speisen mit Biss und intensivem Geschmack, da keine wertvollen Nährstoffe im Kochwasser verloren gehen. Auch ausgefallenere Gerichte, wie selbstgemachte Dim Sum oder Semmelknödel, zauberst du so im Handumdrehen aus dem Thermomix. Die Dampfgarfunktion ist zudem dein ultimativer Komplize, wenn es ans Zubereiten von Torten oder Kuchen geht!

Worauf du beim Dampfgaren achten solltest

Du solltest zwischen deinem Gemüse oder anderen Zutaten, die du im Varoma garst, an einer Seite einen Schlitz freilassen, damit die heiße Luft nicht blockiert wird, sondern frei zirkulieren kann. Wenn du viel Inhalt in den Varoma einfüllst, lege einfach zwei Gabeln über Kreuz auf den Boden des Varoma, so hat der Dampf genügend Platz zur Zirkulation. Auf diese Weise erhältst du ein gleichmäßiges Garergebnis.

Tipp 1: Gemüse mit verschiedenen Garzeiten zusammen dampfgaren

Bei Gemüse mit unterschiedlichen Garzeiten solltest du diese einhalten. Sowohl die Menge als auch die Konsistenz und Größe des Gemüses beeinflussen, in welcher Reihenfolge du das Gemüse hinzugeben solltest. Möchtest du beispielsweise Zucchininudeln gemeinsam mit anderem Gemüse garen, solltest du die Zucchininudeln etwas später hinzugeben und in den Varoma-Einlegeboden platzieren, den du dann in den Varoma-Behälter einsetzt. So werden sie gleichzeitig mit den restlichen Zutaten fertig und sind nicht zu weich.

Tipp 2: Sanft gegart und trotzdem mit Röstaroma
Dir fehlt bei gedämpftem Gemüse die Geschmacksintensität? Das eine schließt das andere nicht aus – nachdem du das Gemüse im Varoma schonend gegart hast, brate es in der Pfanne scharf an und du erhältst sowohl zart durchgegartes Gemüse als auch die geschmacksintensiven Röstaromen! Beim TM6 kannst du das Gemüse nach dem Dämpfen auch gleich im Mixtopf anbraten.

Tipp 3: Überkochen einfach vermeiden
Füge dem Wasser im Mixtopf einen Schuss Öl hinzu und der Mixtopf kocht nicht über.

Tipp 4: "Backen" im Varoma
Du kannst nicht nur Gemüse dampfgaren, sondern eben auch Kuchen und Torten im Varoma "backen". Dafür füllst du den Teig einfach in eine hitzebeständige Backform, ein hitzefestes Glas oder in die Varoma-Förmchen und deckst diese mit hitzebeständiger Frischhaltefolie ab. Der Wasserdampf steigt aus dem Mixtopf empor und sorgt für ein besonders saftiges Backergebnis, das anders als im Backofen niemals trocken ausfällt.

Gut zu wissen
Du kannst sogar Weißwürste im Varoma dampfgaren! Entweder nimmst du fertig gekaufte oder du machst die Weißwurstfüllung selbst und garst die Weißwürste anschließend im Glas nach der gleichen Anleitung wie beim Kuchenbacken.

2.11 Emulgieren

Beim Emulgieren werden Flüssigkeiten vermischt, die sich normalerweise nicht verbinden lassen, wie etwa Öl und Ei. Notwendig ist ein kontinuierliches Mischen der Zutaten bei langsamer Geschwindigkeit – eine Aufgabe, die wie gemacht ist für den Thermomix!

Mit deinem Thermomix kannst du Soßen und Salatdressings frisch und unkompliziert selbst herstellen - Mayonnaise aus der Tube war einmal! Genauso gut eignet sich die Emulgierfunktion beispielsweise für Aioli, die mediterrane Alternative zu Mayonnaise.

Worauf du beim Emulgieren achten solltest
Du solltest beim Emulgieren eine niedrige Stufe (Stufe 4 bis 6) wählen. Fülle zunächst alle Zutaten außer das Öl in den Mixtopf. Anschließend setzt du den Messbecher ein und träufelst das Öl langsam auf den Mixtopfdeckel rund um den Messbecher, sodass das Öl gleichmäßig in den Mixtopf läuft und mit den anderen Zutaten zu einem cremigen Ergebnis vermischt wird.

2.12 Kneten

Dank des Thermomix ist das Zubereiten von Teigen jeder Art nicht mehr mit müden Armen verbunden, sondern geht auf Knopfdruck! Du entscheidest nur noch, ob du heute einen Pizzateig, Brotteig, Hefeteig oder Mürbeteig zubereiten möchtest. Die Mixmesser des Thermomix funktionieren im Knet-Modus wie die Hände eines Backmeisters: sie drehen sich in kurzen Intervallen abwechselnd nach rechts und nach links und kneten den Teig damit zu einer gleichmäßigen, luftigen Masse. Du kannst Brote anschließend auch im Varoma dämpfen (also quasi backen), allerdings erhältst du nur beim Backen im Ofen diese wunderbare krosse Brotkruste.

Worauf du beim Kneten achten solltest
Bitte behalte immer ein Auge auf den Thermomix, wenn er einen Teig knetet. Es kann passieren, dass sich der Thermomix leicht bewegt und womöglich von der Küchentheke fällt, wenn er beispielsweise einen schweren Hefeteig knetet. Auch wichtig zu wissen: Wenn der Mixtopf noch warm ist, weil du beispielsweise gerade gekocht hast, funktioniert die Knetstufe nicht. Also einfach den Mixtopf mit kaltem Wasser ausspülen, bevor du ihn zum Kneten einsetzt.

Tipp 1: Keine zu großen Mengen auf einmal kneten
Um ein gleichmäßiges Ergebnis zu erhalten, solltest du im Thermomix maximal 800 Gramm Teig auf einmal kneten.

Tipp 2: Rezepte für den Thermomix adaptieren
Wenn du ein Brotbackrezept verwenden möchtest, das nicht für den Thermomix geschrieben wurde, solltest du beachten, dass der

Thermomix Teige schneller knetet als eine klassische Brotmaschine. Werden Teige zu lange geknetet, sind sie am Ende weniger stabil und weisen eine schwächere Struktur auf, wodurch das Brot nicht so schön aufgeht. Daher solltest du Knetzeiten, wie sie für Knetmaschinen angegeben werden, für den Thermomix halbieren.

Tipp 3: Auf die Temperatur achten
Teig sollte beim Kneten auf maximal 27 Grad erhitzt werden, ansonsten gart er anschließend im Ofen zu schnell und ungleichmäßig. Beim Kneten erhitzt sich der Thermomix stärker als andere Küchenmaschine und kann Temperaturen über 27 Grad erreichen. Daher solltest du zum Kneten kaltes Wasser nehmen (so kalt wie möglich), um die Temperatur auszugleichen. Außerdem kannst du ein Thermometer verwenden, um nach dem Kneten die Teigtemperatur zu messen – liegt sie über 27 Grad, kannst du den Teig beispielsweise zunächst im Keller abkühlen lassen, bevor du ihn in den Backofen stellst.

Gut zu wissen
Mit der Knetfunktion kannst du auch hervorragend luftig leichte Frikadellen zaubern!

2.13 Schlagen

Frisch geschlagene Sahne, Mousse au Chocolat oder Zabaione sind ein cremiger Traum, gelingen per Hand aber nicht immer. Mit dem Thermomix ist der Erfolg quasi vorprogrammiert, solange du dich an ein paar Tipps hältst, die du im Folgenden aufgeführt findest.

Worauf du beim Schlagen achten solltest
Wichtig ist, dass du nur die Drehzahlstufen von 2 bis 4 verwendest. Außerdem solltest du genauestens das Rezept befolgen, da kleine Details wie etwa die Temperatur der Ausgangsprodukte und Küchenutensilien entscheidend sein können für ein gutes Gelingen der Rezepte!

Tipp 1: Messbecher abnehmen
Nimm am besten den Messbecher aus dem Mixtopfdeckel. Auf diese Weise gelangt mehr Luft in den Mixtopf und das Ergebnis wird luftiger und cremiger.

Tipp 2: So gelingt dir die perfekte Schlagsahne

Damit dir die Sahne aus dem Thermomix problemlos gelingt, halte dich am besten an die folgenden Tipps:

1. Achte darauf, dass die Sahne vor dem Schlagen gut gekühlt ist. Eine Temperatur von 5 bis 8 Grad (direkt aus dem Kühlschrank) ist optimal.
2. Der Mixtopf sollte ebenfalls kühl sein. Du kannst ihn einfach vor seinem Einsatz mit kaltem Leitungswasser ausspülen, bis er sich kalt anfühlt.
3. Wähle Sahne mit hohem Fettgehalt, dadurch lässt sie sich einfacher steif schlagen.
4. Wenn du beispielsweise Vanillezucker in der Schlagsahne haben möchtest, solltest du diese vor dem Schlagen hinzufügen.
5. Behalte die Sahne im Auge – wenn sie zu lange geschlagen wird, erhältst du Butter! Du wirst merken, dass der Thermomix auf einmal anders klingt, wenn die Sahne nicht mehr flüssig ist. Dann unbedingt in den Mixtopf schauen – du wirst sehen, dass die Sahne schon steif geschlagen ist!
6. Wähle am besten eine Füllmenge zwischen 400 und 600 Gramm Sahne, um das beste Ergebnis zu erzielen.

Tipp 3: So gelingt dir der perfekte Eischnee

Schnittfester, steifer Eischnee ist die Grundlage vieler himmlischer Süßspeisen – Mousse au Chocolat etwa ist ohne ihn undenkbar!

1. Der Mixtopf muss komplett fettfrei sein, damit der Eischnee gelingt. Gib dafür etwas Wasser in den Mixtopf (bis die Messer bedeckt sind) und füge einen Teelöffel Salz hinzu. Spüle anschließend auf Stufe 6, gieße anschließend das Wasser aus und schalte erneut auf Stufe 6, um den Mixtopf trocken zu schleudern. Beim Abtrocknen kann erneut Fett in den Mixtopf gelangen, daher ist Trockenschleudern die bessere Wahl.
2. Am besten gelingt der Eischnee mit Eiern, die sieben bis vierzehn Tage alt sind, also keine zu frischen Eier verwenden!

3. Passe die Rührzeit an die Menge des Eiweiß an – pro Eiweiß benötigt der Thermomix etwa eine Minute, also zum Beispiel vier Minuten für vier Eiweiß.
4. Wenn du süßen Eischnee zubereiten möchtest, solltest du mit der Zugabe des Zuckers warten, bis der Eischnee schon einigermaßen steif geworden ist, ansonsten kann der Zucker die Festigkeit beeinflussen. Gib den Zucker nicht auf einmal hinzu, sondern lass ihn langsam in den Mixtopf rieseln.
5. Soll der Eischnee besonders fest werden – wenn du beispielsweise Baiser zubereitest – kannst du auch zusätzlich Wärme zuführen. Also z.B. bei vier Eiweiß für vier Minuten auf Stufe 4 bei 65 Grad schlagen.
6. Denke daran, den Spritzschutzdeckel (beim TM6) oder den Garkorb (beim TM5) zum Abdecken des Mixtopfes zu verwenden. Wenn du den Messbecher einsetzt, gelangt nicht genügend Luft in den Mixtopf und der Eischnee wird weniger luftig und leicht.

Tipp 4: So gelingt dir der perfekte Milchschaum

Genau wie bei Schlagsahne gibt es auch bei der Zubereitung von Milchschaum ein paar Empfehlungen, die deine Erfolgsrate deutlich steigern werden. Manches davon hast du wahrscheinlich noch nicht bedacht!

1. Verwende stets H-Milch, wenn du Milchschaum schlagen möchtest.
2. Wähle den passenden Fettgehalt, je nachdem wie steif oder cremig du deinen Milchschaum möchtest. Je höher der Fettanteil, desto cremiger wird dein Milchschaum. Der klassische Milchschaum wird in Cafés meist aus Milch mit einem Fettanteil von 1,5% hergestellt.
3. Überprüfe, ob der Mixtopf ganz sauber und trocken ist. Sollten sich noch Spülmittelreste im Thermomix befinden, kann das den Milchschaum ruinieren.

4. Verwende entweder gekühlte Milch direkt aus dem Kühlschrank oder gib beim Schlagen Eiswürfel dazu, sodass die Milch gekühlt wird.

5. Keine Sorge, wenn es trotz all dieser Tipps einmal nicht klappen sollte. Ein Grund kann beispielsweise sein, dass der Eiweißgehalt der Milch, der für die Konsistenz des Milchschaums essenziell ist, zu niedrig war. Das kann im Sommer vorkommen, wenn die Kühe viel Wasser trinken.

2.14 Rühren

Die Rührfunktion macht den Thermomix zum Superhelden – bei ihm brennt nichts an. Als ob du einen aufmerksamen Küchenhelfer an der Seite hättest, der seinen Platz neben dem Topf nie verlässt und ohne Unterlass rührt. Tatsächlich imitiert die Sanftrührstufe das behutsame Rühren mit der Hand und ist dabei geduldiger und gleichmäßiger beim Rühren als jeder menschliche Koch, wodurch du ein luftig leichtes Risotto oder Milchreis ohne Zusammenkleben oder Anbrennen erhältst.

Worauf du beim Rühren achten solltest
Bitte den Rühraufsatz nur bis Stufe 4 verwenden, ansonsten kann es eventuell zu Spritzern und Verbrennungen kommen!

Tipp 1: Dank des Linkslaufs bleiben die Zutaten ganz
Beim Linkslauf kommen die Zutaten nur mit den stumpfen, ungeschliffenen Rückseiten der Mixmesser in Berührung. Dadurch bleiben beispielsweise bei Risotto oder Milchreis die Reiskörner ganz. Wähle einfach die Sanftrührstufe in Verbindung mit dem Linkslauf und koche Risotto und Milchreis so entspannt wie nie und garantiert ohne Anbrennen.

All diese Funktionen bietet dir der TM5. Mit dem TM6 Modell werden sage und schreibe vier weitere Funktionen zum beachtlichen Funktionskatalog des Thermomix hinzugefügt, zu denen du im Folgenden weitere Informationen findest.

2.15 Anbraten

Da der neue TM6 nicht nur auf 120 Grad, sondern auf bis zu 160 Grad erhitzt, kannst du mit ihm auch anbraten! Während du bei Vorgängermodellen entweder auf das aromatische Röstaroma, das beim Anbraten entsteht, verzichten musstest, oder in der Pfanne auf dem Herd anbraten musstest, ist diese Funktion beim TM6 mittlerweile integriert. Von Fleisch und Fisch über Gemüse erhalten deine Speisen damit einen intensiveren Geschmack! Und auch ein wunderbar aromatisches Zwiebel Chutney kannst du jetzt ganz einfach mit deinem Thermomix zaubern.

Es muss dazugesagt werden, dass die Anbrat-Funktion des Thermomix mit dem Anbraten in einer Pfanne weiterhin nicht ganz mithalten kann. Aber es funktioniert, wenn du ein paar Tricks anwendest! Möglich wird die Anbrat-Funktion durch eine Kombination des Linkslaufs mit den höheren Temperaturen, die beim TM6 möglich sind. Du wirst hören, dass der TM6 beim Anbraten für kurze Zeit kein Geräusch von sich gibt, dann wälzt der Thermomix einmal den anzubratenden Inhalt – sodass auch nichts anbrennt – bevor die Mixmesser wieder anhalten und der Inhalt weiter gebrutzelt wird. Also eigentlich ganz einfach und so praktisch! Wenn du dich fragst, welches Öl du am besten zum Anbraten verwenden solltest, findest du Empfehlungen in Kapitel 7.

Worauf du beim Anbraten achten solltest

Beim Anbraten solltest du immer darauf achten, dass du den Spritzschutzdeckel auflegst. Er fängt feine Fettpartikel auf, sodass deine Küche auch beim Anbraten sauber bleibt.

Tipp 1: Steak geht leider noch nicht, Geschnetzeltes schon

Scharf anbraten wie es beispielsweise bei der Zubereitung eines Steaks oder Schnitzels erforderlich ist, kann der Thermomix TM6 noch nicht, dafür ist die Anbratfläche auch etwas zu klein und die maximale Temperatur von 160 Grad nicht hoch genug – in der Pfanne kannst du Zutaten bis auf 200 Grad erhitzen. Aber Zwiebeln oder Geschnetzeltes brät der Thermomix ganz einfach an und rührt natürlich auch während des Anbratens kontinuierlich um, sodass die Lebensmittel von allen Seiten schön goldbraun angebraten werden.

Tipp 2: Kleinere Mengen funktionieren besser
Wenn du den Thermomix mit einer klassischen Anbratpfanne vergleichst, wird schnell klar, dass die Anbratfläche des Thermomix unverhältnismäßig kleiner ist (und zusätzlich die Mixmesser im Weg sind). Das bedeutet, dass das Anbratergebnis umso besser wird, je weniger Inhalt du anbrätst. Optimalerweise solltest du maximal 300 Gramm an Fleisch, Gemüse oder sonstigen Zutaten gleichzeitig anbraten.

Gut zu wissen
Aus Sicherheitsgründen (um Überhitzung, Verbrennungen und Schäden am Thermomix zu vermeiden) kannst du die Anbrat-Funktion nur im Rahmen eines Rezeptes ausführen, das auf deinem Thermomix gespeichert ist. Einzeln kannst du die Anbrat-Funktion nicht einsetzen, um z.B. einfach mal schnell nur ein Stück Fleisch ohne Rezept anzubraten. Also immer daran denken, ein passendes Rezept herauszusuchen, wenn du etwas anbraten möchtest. Vorstellbar wäre auch, dass Vorwerk eines Tages ein Software-Update durchführt, das Anbraten auch ohne Rezept ermöglicht und nach einer bestimmten Zeit automatisch die Temperatur herunterstellt – dank der Vernetzung des Thermomix wäre das problemlos möglich und dein Thermomix könnte über WLAN auf den neuesten Stand gebracht werden!

2.16 Karamellisieren

Schleckermäuler aufgepasst, jetzt gibt es Karamellbonbons aus dem Thermomix! Genau wie beim Anbraten ist jetzt auch das Unglaubliche möglich und der Thermomix kann zum Karamellisieren verwendet werden. Karamellisieren ist eine Wissenschaft für sich und kann leicht daneben gehen, wenn es mithilfe eines Topfes auf dem Herd ausprobiert wird. Mit dem Thermomix dagegen gibt es selbst beim herausfordernden Karamell Kochen fast schon eine Geling-Garantie. Wenn du der Schritt-für-Schritt-Anleitung penibel folgst (beim Karamellkochen ist Akribie gefragt!), kannst du bald nicht nur verführerische Karamellbonbons, sondern auch herrliche Karamellsaucen oder leckeres Karamellkrokant selbst herstellen. Probiere es aus, viele Thermomix-Nutzer bezeichnen das Karamellisieren schon jetzt als ihre neue Lieblingsfunktion!

Worauf du beim Karamellisieren achten solltest

Wichtig ist, dass du besonders beim Karamellisieren den Anweisungen auf dem Display genau folgst, damit das Karamell auch sicher gelingt! Solltest du dich beispielsweise bei der Menge verschätzen, weist der Thermomix dich sogar auf den Fehler hin. Gerade beim Karamellisieren steckt der Teufel im Detail und damit das Karamell am Ende nicht zu hart oder zu weich wird, ist es wichtig, jeden Schritt in der Anleitung exakt so zu befolgen, wie er eben im Kochbuch steht. Auch bei den Zutaten ist es wichtig, auf keinen Fall vom Rezept abzuweichen und beispielsweise braunen statt weißen Zucker zu verwenden – suche dir lieber ein Rezept, das genau die Zutaten enthält, die du verwenden möchtest, zumindest beim ersten Mal. Ein weiterer wichtiger Hinweis ist, dass der Thermomix beim Karamell Kochen bis zu seiner Maximaltemperatur von 160 Grad erhitzt wird, das heißt, Flüssigkeiten im Inneren des Thermomix werden kochend heiß. Daher solltest du besondere Vorsicht walten lassen, wenn du Zutaten in den Mixtopf hineingibst oder die Karamellsauce aus dem Mixtopf entnimmst, um Verbrennungen zu vermeiden.

Tipp 1: Varoma-Einlegeboden zum Abkühlen

Wenn du Karamellbonbons zubereitest, kannst du die Karamellbonbons entweder in eine mit Backpapier ausgelegte Form füllen oder aber gleich den Varoma-Einlegeboden nehmen. Das funktioniert genauso gut und du hast das Zubehör gleich zur Hand.

Tipp 2: Schnell sein beim Ausgießen und Säubern

Sobald das Karamell fertig ist, ist Schnelligkeit angesagt, damit es nicht schon im Mixtopf fest wird. Bitte große Vorsicht walten lassen beim Eingießen des Karamells in die Backform beziehungsweise in den Varoma-Einlegeboden, denn das Karamell ist kochend heiß! Anschließend gleich mit dem Vorspülen weitermachen: 50 Gramm Essig und einen Liter Wasser in den Thermomix geben, den Vorspül-Modus anschalten und der Thermomix wird sofort vorgereinigt, sodass du ihn anschließend in den Geschirrspüler geben kannst, ohne Karamellstückchen aus dem Mixtopf kratzen zu müssen.

Gut zu wissen
Du wirst im Rezept zur Herstellung von Karamellbonbons angeleitet, Zitronensaft hinzuzufügen. Der Zitronensaft ist essenziell, er trägt nämlich dazu bei, dass der Zucker nicht kristallisiert oder anbrennt. Also nie vergessen, wenn du etwas karamellisieren möchtest – auch wenn es einmal nicht im Rezept angegeben sein sollte – ist es ein hervorragender Tipp. Außerdem ein weiterer Tipp: Wundere dich nicht, wenn der Zähler beim Thermomix nicht sofort anfängt zu laufen, nachdem du auf Start gedrückt hast. Die Zeit wird erst heruntergezählt, sobald der Thermomix die erforderliche Temperatur erreicht hat. Dadurch wird sichergestellt, dass das Rezept stets exakt ausgeführt wird, schließlich kann die Anfangstemperatur des Thermomix je nach Temperatur der Zutaten und der Temperatur in deiner Küche variieren. Ganz schön clever dieser Thermomix!

2.17 Sous-Vide Garen

Mit der zusätzlichen Sous-Vide Funktion wird jeder zum Spitzenkoch. Was kompliziert klingt, ist mit dem Thermomix dank Guided Cooking und feiner Temperaturkontrolle für jedermann beinahe ein Kinderspiel. Die Sous-Vide Methode kommt aus dem Französischen und bedeutet wörtlich "unter Vakuum garen". Gemeint ist damit, dass insbesondere Fleisch vakuumiert und anschließend für längere Garzeiten als üblich im Wasserbad gegart wird, wodurch das Fleisch eine unvergleichliche Zartheit und Geschmacksintensität erhält. Die Lebensmittel kommen dank der Vakuumverpackung gar nicht in Kontakt mit dem heißen Wasser, wodurch Säfte und Geschmacksstoffe – genauso wie Vitamine und Nährstoffe – nicht verloren gehen. Auch die Farbe des Garguts bleibt erhalten. Und ja, du kannst auch mit dem TM5 Sous-Vide garen, mit dem TM6 geht es aber deutlich einfacher und gelingt besser, da die Rezepte auf den Thermomix abgestimmt sind, die Anleitung dank Cookidoo bereits integriert ist und du Temperaturen genauer einstellen kannst. Sous-Vide Kochen ist an sich keine große Herausforderung, solange man eine Möglichkeit findet, die Zutaten gleichmäßig über längere Zeit (üblicherweise knapp unter einer Stunde) zu erhitzen.

Manch kreativer Koch bereitet Fleisch, Fisch oder Gemüse sogar Sous-Vide in der Geschirrspülmaschine mit dem passenden Abspülgang zu! Auch mit einem normalen Topf und einem Extrathermometer kann jeder in seinen eigenen vier Wänden wie ein Sternekoch Lebensmittel auf die Sous-Vide Weise zubereiten. Mit dem Thermomix wird die Sache natürlich etwas einfacher, da du nicht selbst darauf achten musst, dass die nötige Temperatur konstant eingehalten wird.

Worauf du beim Sous-Vide Garen achten solltest

Zuerst einmal benötigst du zum Sous-Vide Garen deine Zutaten in Vakuumverpackung. Falls du keinen Vakuumierer daheim hast – wer hat schon einen? – fragst du am besten direkt beim Metzger, ob er dir das Fleischstück, das du Sous-Vide garen möchtest, gleich vakuumieren kann. Normalerweise hat jeder Metzger einen Vakuumierer zur Hand und tut dir gerne den Gefallen. Wichtig ist, dass du die Fleischstücke einzeln und nicht zusammen vakuumieren lässt. Das gleiche gilt natürlich für Fischstücke, nur bei Gemüse kannst du kleine Portionen zusammenlegen.

Im zweiten Schritt legst du die zu garenden Lebensmittel vakuumverpackt in den Garkorb und füllst den Mixtopf mit Wasser, sodass das Gargut komplett mit Wasser bedeckt wird.

Nachdem die Garzeit erreicht wurde, kannst du das Fleisch, den Fisch oder das Gemüse zusätzlich scharf anbraten. Dadurch erhältst du ein im Inneren unvergleichlich saftiges Ergebnis, während die Oberfläche verführerisch kross ist!

Tipp 1: Steaks mit verschieden langen Garzeiten

Bei Steaks gibt es bekanntlich unterschiedliche Vorlieben, der eine mag es saftiger, der andere eher blutig. Bei unterschiedlichen Präferenzen einfach das Steak mit der längeren Garzeit zuerst in den Thermomix geben und zum passenden Zeitpunkt das zweite Steak hinzugeben, sodass beide gleichzeitig fertig werden.

Tipp 2: In größeren Mengen kaufen

Du kannst auch gefrorenes Fleisch vakuumgaren, geschmacklich macht das keinen Unterschied. Das heißt, es ist eine gute Idee, beim Metzger oder im Supermarkt größere Mengen einzukaufen, falls nötig in kleinere Portionen zu zerteilen und im Gefrierschrank aufzubewahren.

Tipp 3: Wie du deinem Steak die richtige Bräunung verleihst
Wenn du dein Sous-Vide Steak oder sonstiges vakuumgegartes Fleisch aus dem Garkorb entnimmst, ist es zwar innen saftig zart gegart, aber äußerlich natürlich etwas blass. Um das Fleisch etwas Bräune zu verleihen, kannst du es entweder in der Pfanne für eine halbe Minute von jeder Seite scharf anbraten oder du verwendest einen Gasbrenner, denn das Fleisch ist innen ja schon durchgegart!

Gut zu wissen
Du kannst im Thermomix nicht nur Fleisch, sondern eben auch Fisch, Gemüse und sogar Eier und Obst mit der Sous-Vide Methode wie ein Sternekoch auf raffinierte und aromatische Weise zubereiten.

2.18 Slow Cooking

Slow Cooking bedeutet, – ähnlich wie Sous-Vide Garen – dass Lebensmittel besonders schonend und aromatisch gegart werden. Bekanntestes Beispiel: das derzeit so beliebte Pulled Pork, Schweinefleisch, das über 10 bis 15 Stunden hinweg langsam und schonend zubereitet wird. Zum Glück dauert das im Thermomix nicht ganz so lange (zwei bis sechs Stunden je nach Rezept) und zusätzlich hält der Thermomix die Temperatur zuverlässig, sodass du ihn auch ohne Aufsicht für einige Stunden schmoren lassen kannst!

Tipp 1: Gleichzeitig im Varoma kochen
Wenn der Thermomix ohnehin schon warm ist, kannst du das kombinieren und die Beilagen gleichzeitig zubereiten! Die letzten 20 Minuten des Slow Cooking Prozesses kannst du dazu nutzen, im Varoma Gemüse, Kartoffeln oder Ähnliches zu dämpfen, sodass das Hauptgericht und die Beilagen gleichzeitig fertig werden.

Tipp 2: Geeignet für kleinteilige Gerichte
Damit beim Slow Cooking nichts anbrennt, drehen sich die Mixmesser. Das ist bei den meisten Eintöpfen, Gulasch, langsam gekochter

Bolognese (sehr lecker!) oder Pulled Pork kein Problem, du solltest aber vorgewarnt sein, dass größere Fleischstücke unweigerlich etwas zerkleinert werden im Laufe der langen Garzeit.

Tipp 3: Alles auf einmal oder nacheinander

Bei einer Frage scheiden sich die Geister der Slow Cooking Anhänger: sollte man Zwiebeln und Fleisch vorher anbraten oder einfach alles in den Topf werfen? Die kurze Antwort ist: Das hängt davon ab! Zum einen hängt es davon ab, ob du Öl verwenden möchtest – wenn du das Anbraten weglässt, ist Slow Cooking eine tolle Methode, Fleisch und andere Lebensmittel ohne die Zugabe von Öl zuzubereiten. Zum anderen hängt die Antwort davon ab, welche Variante dir besser schmeckt. Also am besten einfach beides ausprobieren!

Tipp 4: Entferne das Fett

Normalerweise "schmilzt" das Fett des Fleisches, wenn du es in der Pfanne oder im Thermomix anbrätst. Da beim Slow Cooking keine ausreichend hohen Temperaturen erreicht werden, solltest du sehr fettige Teile des Fleisches entfernen. Dadurch erhältst du ein gesünderes Gericht und verhinderst außerdem, dass sich eine Fettschicht an der Oberfläche bildet, wenn sich das Fett in der Garflüssigkeit absetzt.

Tipp 5: Verwende nicht zu viel Flüssigkeit

Wenn du ein Rezept, das du normalerweise im Topf zubereitest, mit der Slow Cooking Methode ausprobierst, solltest du darauf achten, den Flüssigkeitsanteil um ungefähr ein Drittel zu reduzieren. Die Daumenregel ist, dass das Wasser gerade das Fleisch und Gemüse im Mixtopf bedecken sollte, aber nicht mehr. Beim Slow Cooking entweicht keine Dampf Flüssigkeit aus dem Topf wie beim normalen Kochen, daher ist von vornherein weniger Flüssigkeit erforderlich.

Tipp 6: Verdicke die Flüssigkeit mit Mehl

Genauso wie die Flüssigkeit beim Slow Cooking nicht verdunstet, wird die Flüssigkeit auch nicht dickflüssiger im Laufe der Garzeit. Um dennoch eine schöne sämige Soße zu erreichen, kannst du beispielsweise das Fleisch in Mehl wälzen, bevor du es in den Mixtopf gibst, oder am Ende Mehl hinzufügen, um die gewünschte Konsistenz der Garflüssigkeit zu erreichen.

2.19 Fermentieren

Fermentation ist eine der ältesten Methoden, um Lebensmittel zu konservieren und lange haltbar zu machen. Das Besondere am Fermentieren ist, dass niedrige Temperaturen verwendet werden, wodurch Nährstoffe weitestgehend erhalten bleiben. Außerdem entstehen beim Fermentationsprozess Milchsäurebakterien, die eine gesunde Darmflora fördern und fermentierte Lebensmittel leichter verdaulich machen.

Eines ist ganz wichtig zu wissen, bevor du dich in die Fermentation stürzt: Bisher eignet sich die Fermentation-Funktion des Thermomix am besten für Joghurt. Beim Fermentieren von Gemüse (einschließlich Sauerkraut und Kimchi) und Sauerteig beträgt die optimale Temperatur 26 bis 28 Grad. Beim Thermomix kannst du als niedrigste Temperatur 37 Grad einstellen, was bedeutet, dass bei der Gemüsefermentation im Thermomix gewisse Milchsäurebakterien, die eigentlich gesund wären, bereits absterben. Gesünder ist es also, fermentiertes Gemüse und Sauerteig auf klassische Weise und ohne Thermomix zuzubereiten. Das dauert aber natürlich viel länger. Du kannst im Thermomix das Fermentieren von Joghurt ausprobieren und wenn du dann auf den Geschmack gekommen bist, erscheint dir sicher auch der etwas höhere Aufwand, Gemüse über einige Tage bei Zimmertemperatur in Gläsern milchsauer garen zu lassen, die Sache wert. Daher findest du in diesem Kapitel gesammelte Tipps zum Fermentieren von Gemüse als auch von Fermentieren von Joghurt!

Tipp 1: Zeit mitbringen

Generell gilt, dass du beim Fermentieren von Joghurt definitiv Geduld erlernen kannst – mit Hunger solltest du dich niemals ans Joghurt-Machen wagen! Wenn du am Vortag in der Früh anfängst, kannst du den Joghurt so zubereiten, dass du ihn am nächsten Morgen zum Frühstück löffeln kannst. Du brauchst zehn Stunden zum gleichmäßigen Erhitzen der Milch sowie anschließend zwei Stunden zum Abkühlen. Du solltest es also etwas mit Vorlauf planen, wenn du Joghurt selbst herstellen möchtest! Das Ergebnis macht die lange Wartezeit aber sicher wett.

Gut zu wissen
Sowohl mit dem TM5 als auch dem TM6 kannst du nicht nur Joghurt, sondern auch Frischkäse aus Kuhmilch oder Ziegenmilch herstellen!

Fermentieren ist die älteste Konservierungsmethode der Welt. Schon die Menschen, die zu Beginn der Jungsteinzeit unseren Planeten bevölkerten machten Gemüse mithilfe von Salz und etwas Zeit lange haltbar. Mit dem Eintreffen der ersten industriell gefertigten Konservendosen in den Supermärkten und dem Einzug der Kühl- und Gefrierschränke in den Haushalten in den 50er Jahren geriet die Fermentation zunächst wieder in Vergessenheit. Während Fermentieren also über die letzten Jahrzehnte als eine althergebrachte und traditionelle Zubereitungsweise von wenigen gekannt oder genutzt wurde, wird diese schonende Methode der Haltbarmachung derzeit in der Sterneküche und von Hobbyköchen mit Begeisterung wiederentdeckt.

Das bekannteste fermentierte Gemüse in deutschsprachigen Breitengraden ist sicherlich Sauerkraut – fermentierter Weißkohl. Neuerdings ist auch Kimchi – fermentierter Chinakohl, eingelegt nach koreanischem Rezept – immer öfter zu sehen.

Das Wunderbare am Fermentieren ist, dass du deine Kreativität dabei voll ausleben kannst und den Fermentationsprozess für so viele Lebensmittel nutzen kannst. Neben dem genannten Sauerkraut und Kimchi kannst du auch Sauerteig selbst herstellen. Und Sauerkraut und Weißkohl sind längst nicht das einzige Gemüse, das sich fermentieren lässt – beinahe jedes Gemüse kannst du auf diese einfache Weise lange haltbar machen, ohne dass es seinen Geschmack einbüßt. Wie wäre es zum Beispiel zur Abwechslung mit fermentierter Chilisauce?

Ein toller Effekt der Fermentation von Gemüse ist, dass zusätzlich zu verdauungsfördernden Milchsäurebakterien Vitamin A und Vitamin C freigesetzt werden. Das bedeutet, dass du dich das ganze Jahr über ausgewogen und ausschließlich mit Gemüse aus der Region ernähren kannst, wenn du zur jeweiligen Saison das regionale Gemüse einkaufst, es anschließend fermentierst, um es dann auch außerhalb der Saison zu genießen. Das Raffinierte daran: so lagerst du das Gemüse ein, wenn es seinen geschmacklichen Höhepunkt erreicht und beim Fermentationsprozess werden gesunde Vitamine, Mineralstoffe und Nährstoffe erhalten.

Worauf du beim Fermentieren von Gemüse achten solltest

Zum Fermentieren von Gemüse benötigst du zunächst saubere Einmachgläser (am besten vorher heiß ausspülen). Das Gemüse solltest du in mundgerechte Stücke schneiden und mit den Gewürzen und dem Salz ordentlich durchkneten, sodass die Zellwände des Gemüses aufbrechen und das Salz das Wasser entziehen kann. Anschließend füllst du das Gemüse in die Gläser, fügst je nach Bedarf etwas Wasser hinzu und drückst den Inhalt nach unten. Wichtig ist, dass das Gemüse komplett mit Flüssigkeit bedeckt ist. Platziere die Gläser an einem Ort mit Zimmertemperatur und schon hat die Fermentation begonnen!

Tipp 1: Regelmäßig lüften

Wenn du in Gläsern fermentierst, musst du die Gläser unbedingt jeden Tag lüften, damit kein Überdruck entsteht, der die Gläser zum Platzen bringen könnte. Am besten verwendest du keine Schraubgläser, sondern Gläser mit Bügelverschluss und Gummi – bei diesen kann der Überdruck beim Öffnen am Gummi vorbei entweichen. Alternativ gibt es auch Gärtöpfe, bei denen beim Fermentieren entstehende Gase über eine Wasserrinne entweichen können, ohne dass Sauerstoff in das Glas gelangt, sowie spezielle Einmachgläser mit Ventil. Denn das ist die Herausforderung beim Fermentieren: Zum einen möchtest du keinen zu häufigen Sauerstoffaustausch, da dabei Keime in das Glas gelangen können, zum anderen müssen die Gase entweichen können. Sobald das Gemüse die für dich richtige Geschmacksnote erreicht hat, kannst du das Fermentiergefäß in den Kühlschrank beziehungsweise in den kühlen Keller stellen, wodurch der Fermentationsprozess stark verlangsamt wird und du das Gemüse monatelang auch ohne regelmäßiges Lüften aufbewahren kannst.

Tipp 2: Das richtige Salz wählen

Die Funktion des Salzes ist es, – insbesondere zu Beginn der Fermentation – unerwünschte Mikroorganismen abzuwehren. Sobald durch die milchsaure Gärung genügend Milchsäurebakterien entstanden sind, helfen auch diese, das Gemüse zu konservieren. Gewöhnlichem Kochsalz sind oft Fluor oder Jod hinzugefügt, was den Fermentationsprozess stören kann. Daher ist unraffiniertes Meer- oder Steinsalz am besten geeignet.

Tipp 3: Probieren

Der Fermentationsprozess beginnt, sobald du die Gläser verschlossen hast und endet erst, wenn du entscheidest, dass dir der Geschmack des fermentierten Gemüses am besten gefällt. Am besten probierst du am Anfang häufiger, um den idealen Zeitpunkt für deinen Geschmack zu finden. Beim Fermentieren von Gemüse solltest du nach etwa fünf Tagen das erste Mal probieren, um zu prüfen, wie dir das Ergebnis zusagt. Mit der Zeit findest du heraus, welche Fermentationsdauer den für dich perfekten Geschmack ergibt.

Tipp 4: Mit Gewürzen experimentieren

Wenn du Gemüse fermentierst, kannst du nach Lust und Laune mit der Zugabe von Gewürzen, Zwiebeln, Knoblauch oder frischen Kräutern experimentieren. Als Gewürz eignen sich besonders Kümmel-, Senf- oder Pfefferkörner. Auch wieviel Salz du verwendest (du kannst auch ganz ohne Salz arbeiten, der Fermentationsprozess funktioniert genauso) – und welche Art von Salz – beeinflusst den Geschmack des Endresultats.

Tipp 5: Mit verschiedenen Gemüsesorten experimentieren

Du kannst theoretisch jede Gemüsesorte fermentieren, vorzugsweise natürlich aus biologischem Anbau. Am besten eignen sich "harte" Gemüsesorten wie etwa Karotten, Kürbis oder Rote Beete. "Weiche" Gemüsesorten wie Tomaten kannst du genauso gut fermentieren, sie werden aber etwas matschiger.

Tipp 6: Obst fermentieren

Bei Obst läuft die Fermentation etwas anders ab, funktioniert aber genauso gut und bereichert deine Küche mit exotischen neuen Geschmäckern.

Für das Fermentieren von Obst benötigst du eine Starterkultur, die die erforderlichen Bakterien enthält, um die Fermentation in Gang zu setzen. Das kann zum Beispiel Zucker in Verbindung mit Backhefe, Molke oder auch ein fermentiertes Getränk wie Kombucha Tee sein. Sobald du einmal Obst fermentiert hast, kannst du die Flüssigkeit des ersten Glases für das nächste verwenden. Der weitere Verlauf ist ähnlich wie beim Gemüse. Es eignen sich vor allem Pfirsiche, Aprikosen, Pflaumen, Birnen, Trauben und Beeren jeder Art. Auch exotische Früchte wie Ananas oder Mango kannst du hervorragend fermentieren und anschließend beispielsweise für fruchtige Chutneys verwenden.

Gut zu wissen
Wie bereits erwähnt, spielt die Temperatur bei der Fermentation eine entscheidende Rolle. Und die Fermentation geht weiter – das heißt die Milchsäurebakterien sind weiterhin aktiv – solange die Temperatur stimmt. Deswegen wird Sauerkraut, das du im Supermarkt kaufen kannst, zumeist erhitzt, da ansonsten die Fermentation weiter voranschreiten würde und der Geschmack des Sauerkrauts sich im Laufe der Zeit weiter verändern wurde. Leider bedeutet das natürlich auch, dass die gesunden Milchsäurebakterien beim Erhitzen verloren gehen und selbst gemachtes Sauerkraut daher viel gesünder ist als gekauftes.

2.20 Das Besondere am TM6

Beim TM6 findest du einige Modi bereits vorinstalliert, die beim TM5 noch nicht integriert waren. Da ist zum einen der **Pürier-Modus**. Dieser eignet sich besonders für Suppen, da anders als beim Mix-Modus die Mixmesser nicht sofort auf Höchstgeschwindigkeit laufen, sondern die Geschwindigkeit nach und nach erhöht wird.

Ist der **Wasserkoch-Modus** aktiviert, wird das Wasser im Mixtopf auf die von dir gewünschte Temperatur erhitzt. Wichtig ist zu wissen, dass der Vorgang erst beendet wird, wenn die gewünschte Temperatur erreicht ist. Du kannst also sicher sein, dass das Wasser genau hundert Grad hat, wenn der Thermomix das Signal gibt. Das Besondere: Du kannst die Temperatur einstellen, auf die das Wasser erhitzt werden soll.

Bei Grüntee beispielsweise hängt der Koffeingehalt (und der damit verbundene bittere Geschmack des Tees) davon ab, wie heiß das Wasser ist. Möchtest du also einen weniger bitteren grünen Tee zubereiten, der weniger Koffein aufweist, kannst du das Teewasser beispielsweise nur auf 70 Grad erhitzen.

Beim **Vorspül-Modus** zeigt der Thermomix wie clever er ist: Sensoren im Mixtopf messen den Verschmutzungsgrad und passen die Dauer des Reinigungsprozesses an. Daher wird dir zunächst eine Reinigungsdauer von fünf Minuten angezeigt, der Thermomix ist aber meist schon früher fertig. Beim Vorspül-Modus solltest du 50 ml Essig und einen Liter Wasser in den Mixtopf geben, anschließend rotieren die Mixmesser bei hoher Geschwindigkeit solange wie nötig abwechselnd links und rechts und schon erhältst du einen blitzblanken Thermomix, der meist nur noch kurz ausgespült werden muss! Das ist besonders praktisch beim Karamellkochen, worüber du unter "Karamellisieren" mehr erfahren kannst.

2.21 Was tun, wenn beim Thermomix etwas nicht mehr funktioniert?

Was nun, der Thermomix springt einfach nicht an und der Bildschirm bleibt schwarz, egal was du machst? Oder der Mixtopf lässt sich nicht aufsetzen? Der Thermomix – insbesondere der neue TM6 – ist ein hochkomplexes Elektronikgerät, das sehr sensibel ist. Außerdem enthält er mittlerweile so viel Technik, dass es leichter zu Softwarefehlern kommen kann, wodurch eventuell der Bildschirm zunächst nicht angeht. Hier findest du eine Liste mit den häufigsten Fehlern und wie du versuchen kannst, deinen Thermomix wieder in Gang zu bringen.

Problem 1: Das Display bleibt schwarz
Wenn das Display zunächst nichts anzeigt, probierst du am besten noch ein paar Mal, ihn aus- und dann anzuschalten. Wenn es weiterhin nicht klappt, dann solltest du den Stecker ziehen und den Thermomix für 30 bis 60 Minuten ruhen lassen. Danach erneut anschalten.

Problem 2: Der Thermomix schaltet sich beim Neustart ab
Das kann daran liegen, dass du den Thermomix nach dem letzten Kochvorgang nicht ausgeschaltet oder bei eingeschaltetem Thermomix den Stecker gezogen hast. In diesem Fall solltest du einfach kurz warten und den Thermomix anschließend erneut starten. Achte darauf, den Thermomix stets auszuschalten, nachdem du den Kochvorgang beendet hast oder bevor du den Stecker ziehst.

Problem 3: Das Display ist träge und reagiert nur langsam
Überprüfe, ob du die Schutzfolie schon abgenommen hast und reinige das Display mit einem feuchten Tuch. Versuche, das Display nicht mit zu schmutzigen oder mit nassen Händen anzufassen, dann reagiert er leichter auf die Eingabe.

Problem 4: Der Mixtopf heizt nicht richtig
Wenn du das Gefühl hast, der Mixtopf wird nicht mehr auf die gewünschte Temperatur erhitzt oder eine entsprechende Fehlermeldung erhältst, solltest du den Mixtopf aus dem Thermomix-Gehäuse entnehmen und die Mixtopf-Kontakte mit einem feuchten (auf keinen Fall nassen) Tuch reinigen.

Problem 5: Der Thermomix schaltet sich von selbst ab
Nach 15 Minuten ohne Verwendung schaltet sich der Thermomix automatisch ab. Du kannst ihn dann entweder in den letzten 30 Sekunden vor der Abschaltung vom Abschalten abhalten oder ganz normal wieder anschalten, wenn du mit dem nächsten Kochvorgang starten möchtest.

Problem 6: Die Mixmesser schneiden nicht mehr
Wenn du mit dem Ergebnis des Mixens, Mahlens oder Pürierens nicht mehr zufrieden bist, solltest du überprüfen, ob die Mixmesser abgestumpft sind. Je nachdem, wie intensiv du den Thermomix nutzt, sollten die Mixmesser nach einem halben Jahr ausgetauscht werden (bei häufigem Mahlen und Zerkleinern harter Lebensmittel). Bei niedriger Beanspruchung halten diese bis zu vier Jahren. Wie das andere Zubehör auch kannst du neue Mixmesser direkt bei Vorwerk oder über deine Repräsentantin bestellen. Ganz wichtig: die Messer bitte niemals nachschärfen, sie können dabei kaputtgehen.

Problem 7: Der Thermomix startet die nächste Kochfunktion nicht oder stoppt während der Kochfunktion
Das kann daran liegen, dass der Mixtopf überfüllt ist oder überhitzt wurde. In diesem Fall kann es helfen, den Mixtopf aus dem Thermomix zu nehmen und ihn zu leeren. Lass ihn fünf Minuten abkühlen bevor du ihn erneut einsetzt und die Zutaten nach und nach wieder einfüllst.

Falls es trotz dieser Tipps nicht funktioniert und der Thermomix einfach nicht anspringen will, solltest du zunächst deine Repräsentantin beziehungsweise direkt den Thermomix-Kundendienst kontaktieren. Nach Erhalt deines Thermomix hast du zwei Jahre lang Garantie auf das Gerät, also unbedingt den Kaufbeleg aufheben!

2.22 Den Klingelton abstellen

Die Frage nach dem Klingelton des Thermomix – und ob man ihn abstellen, leiser stellen oder ändern kann, ist eine häufig gestellte Frage.

Hier ist die Antwort: Beim TM5 kannst du den Klingelton zwar nicht abstellen, aber die Lautstärke und Dauer im Menü unter Einstellungen je nach Wunsch einstellen. Aus Sicherheitsgründen ertönt stets ein Signalton, auch wenn du diesen auf die leiseste Stufe herunterdrehen kannst. Im Zweifelsfall hilft also nur, schnell sein und auf den Knopf zu drücken, um den Signalton zu beenden. Der Signalton hört auch auf, sobald du den Mixtopf entnimmst.

Auch beim TM6 kannst du den Klingelton aus den gleichen Gründen nicht ganz abstellen. Du hast aber zusätzlich zu Dauer und Lautstärke die Möglichkeit, aus einer Reihe von Optionen den Klingelton auszuwählen, der dir am meisten zusagt. Zusätzlich kannst du beim TM6 auch die Helligkeit des (größeren) Displays an die Lichtverhältnisse in deiner Küche anpassen.

3 Clevere Tricks zum Thermomix Zubehör

Wie bei anderen elektronischen Geräten auch ist der Thermomix nur so gut wie seine Teile. Der Thermomix besteht insgesamt aus sieben (beim TM5) beziehungsweise acht (beim TM6) Teilen zusätzlich zum eigentlichen Thermomix-Gehäuse. Diese sind optimal aufeinander abgestimmt, sodass du beispielsweise mit dem Spatel genau so weit in den Mixtopf hineinreichst, dass du gut umrühren kannst, der Spatel aber nicht die Mixtopfmesser berührt. Beim TM6 ist der Messbecher schwerer geworden, sodass er sich in der Öffnung des Mixtopfdeckels weniger bewegt und weniger Lärm verursacht. So greift ein Teilchen ins andere – raffiniert! Damit du mit dem Zubehör und seinen Einsatzmöglichkeiten gut vertraut wirst und möglichst lang etwas von den einzelnen Teilen hast, findest du im Folgenden jede Menge Tipps und Erläuterungen zu den jeweiligen Zubehörteilen.

3.1 Kurzer Überblick über dieses Kapitel

Das Kapitel widmet sich im ersten Teil allgemeinen Erläuterungen, **wie du deinen Thermomix sicher verwendest**, um deine Sicherheit beim Kochen zu gewährleisten. Außerdem schützt du so deine Küche und deinen Thermomix vor unnötigem Schaden.

Der darauffolgende Teil erklärt die speziellen Eigenheiten der verschiedenen Zubehörteile und **wie du mitgeliefertes Zubehör am besten einsetzt**. Dabei gibt es so manche zusätzliche Funktion zu entdecken – hast du deinen Varoma schon einmal zum Entsaften verwendet?

Daraus ergibt sich der dritte Teil, indem du herausfinden kannst, **welches weitere Thermomix Zubehör du dir besorgen kannst**, um die Anwendungsmöglichkeiten des Thermomix noch zu erweitern. Beispielsweise kannst du mit einem Spiralschneider raffinierte Gerichte aus dem Thermomix auch optisch wie ein Sternekoch präsentieren.

Im letzten Teil kannst du dich inspirieren lassen, **welche Küchengeräte den Thermomix optimal ergänzen**, die du dir je nach Vorliebe zusätzlich anschaffen könntest. Dabei kommen Grillfans oder Pommes Liebhaber voll auf ihre Kosten, denn der Thermomix entfaltet in Verbindung mit einem Grill oder einer Fritteuse erst sein volles Potenzial auf dem Gebiet des Grillens und Frittierens!

3.2 Wie du deinen Thermomix sicher verwendest

Der Thermomix erhitzt Flüssigkeiten auf bis zu 120 Grad Celsius (beim TM5) beziehungsweise 160 Grad Celsius (beim TM6), daher solltest du wie generell bei jedem Kochvorgang eine gewisse Vorsicht walten lassen und Unfälle mithilfe von gesundem Menschenverstand vermeiden.

Gut zu wissen ist, dass du mit dem Thermomix mehr Kontrolle hast als bei anderen Kochutensilien und beispielsweise die Temperatur regulieren kannst, wodurch du ein Überkochen und Spritzen heißer Flüssigkeiten leichter vermeiden kannst! In den Einzelkapiteln zu den jeweiligen Teilen des Thermomix findest du daher Hinweise, wie du das Thermomix Zubehör sicher einsetzt, sodass weder das Material, noch du oder deine Küche Schaden nehmen. Die folgenden einfachen Sicherheitstipps helfen dir, Zwischenfälle und Verbrennungen im Umgang mit dem Thermomix ganz einfach zu vermeiden.

1. Stelle den Thermomix bitte **niemals auf den heißen oder noch warmen Herd**. Du kannst ihn aber gerne auf die kalte Herdplatte platzieren und am besten die Dunstabzugshaube einschalten.
2. Denke daran, stets den **Messbecher oder den Garkorb einzusetzen** (oder den Spritzschutzdeckel beim TM6), sodass keine Flüssigkeit aus dem Mixtopf herausspritzen kann und deine Küche verschmutzt.
3. Vorsicht beim **Herausnehmen des Mixmessers**! Bitte nur oben anfassen und niemals an den Klingen.
4. Nach dem Spülen nicht vergessen, das **Messer wieder einzusetzen**! Den Thermomix nie einschalten, wenn das Messer noch nicht eingesetzt ist.
5. Bitte unbedingt die **maximale Füllmenge** einhalten, beim TM5 und TM6 sind das 2,2 Liter.
6. Befülle den Gareinsatz nur bis zur **"max"-Markierung**. Achte darauf, dass der Deckel des Mixtopfes nicht blockiert ist, stelle also nie Dinge auf dem Mixtopf ab, während du den Thermomix verwendest.
7. Den Mixtopfdeckel **nie mit Gewalt öffnen**. Bitte immer abwarten, bis die Verriegelung den Mixtopfdeckel freigegeben hat und die Drehzahlangabe auf null gesunken ist.
8. Bitte **berühre nicht** die Oberfläche des Mixtopfs, den Mixtopfdeckel, den Varoma oder den Messbecher, wenn du heißes Essen zubereitest – verwende zur Sicherheit ein Küchentuch oder Küchenhandschuhe, da diese Teile des Thermomix heiß werden können!
9. **Ziehe den Stecker**, wenn du deinen Thermomix gerade nicht verwendest und bevor du deinen Thermomix reinigst.
10. Achte darauf, dass der **Deckel richtig sitzt**, ansonsten kannst du deinen Thermomix aus Sicherheitsgründen nicht anschalten.
11. Wenn du etwas im Mixtopf erhitzt hast, bitte immer **den Deckel nach hinten anheben**, sodass der Wasserdampf entweichen kann, ohne mit deinem Gesicht oder deinen Händen in Berührung zu kommen.

12. Verwende niemals **beschädigtes Zubehör** oder Zubehör, das für eines der Vorgängermodelle deines Thermomix hergestellt wurde.
13. Verarbeite bereits **stark erhitzte Zutaten niemals im Turbo-Modus.** Die Turbostufe ist ausschließlich für kalte Lebensmittel gedacht. Wenn der Inhalt des Mixtopfs über 60 Grad warm ist, lässt sich der Turbomix aus Sicherheitsgründen nicht einschalten.

Tipp zum Transportieren des Thermomix: Dein Thermomix soll an einen anderen Ort umziehen? Dabei solltest du unbedingt darauf achten, dass der Mixtopfdeckel ordnungsgemäß verschlossen ist. Du kannst im Menü ganz einfach die Transportsicherung aktivieren, wodurch die Ärmchen sich automatisch um den Mixtopfdeckel schließen, sodass dein Thermomix transportbereit ist. Am neuen Standort angekommen, einfach auf Abbrechen klicken und dein Thermomix ist wieder voll einsatzfähig. Auch wichtig: den Thermomix nie an den Verriegelungsarmen anheben, sondern nur am unteren Teil!

3.3 Wie du das mitgelieferte Thermomix Zubehör am besten einsetzt

Dein Thermomix besteht aus verschiedenen Teilen. Da ist einmal der Mixtopf inklusive Deckel und Messbecher, außerdem der Varoma, der Schmetterling, der Spatel und der Garkorb, sowie der Spritzschutzdeckel beim TM6. All dieses Zubehör erhältst du mit dem Thermomix mitgeliefert. Sollte ein Teil einmal kaputtgehen, kannst du dir Ersatzteile auf Thermomix.de nachbestellen. Damit du lange etwas von deinem Thermomix hast, solltest du den folgenden Tipps und Sicherheitshinweisen zu den einzelnen Zubehörteilen des Thermomix folgen.

Garkorb

Der Garkorb – manchmal auch Gareinsatz genannt – wird leicht unterschätzt, dabei kann er mehr als nur Gemüse, Kartoffeln, Reis und

Eier garen. Er kann dir auf viele weitere Arten das Leben erleichtern – wie genau erfährst du hier.

Worauf du beim Umgang mit dem Garkorb achten solltest
Entnimm den Garkorb stets mithilfe des Spatels, den du in der dafür vorgesehenen Kerbe einhakst. Während du den Garkorb aus dem Mixtopf hebst, kann heißer Inhalt womöglich spritzen, also vorsichtig und langsam vorgehen.

Tipp 1: Der Garkorb als Spritzschutz (beim TM5, beim TM6 ist bereits ein Spritzschutzdeckel mit dabei)
Um sicherzugehen, dass die Flüssigkeit im Mixtopf gut verdampft, kannst du auch den Garkorb anstelle des Messbechers auf den Deckel des Mixtopfes stellen und schon entweicht der Dampf leichter, aber ohne, dass Spritzer entstehen.

Tipp 2: Setze den Garkorb ein, wenn du kleine Portionen mixt
Um zu verhindern, dass beim Mischen kleiner Mengen der Inhalt im Mixtopf hoch spritzt und du alles mühsam vom Rand kratzen musst, setze einfach den Garkorb ein und schon spritzen die Zutaten weniger hoch und sind im gemixten Zustand einfacher aus dem Mixtopf zu bekommen.

Tipp 3: Schokolade im Spritzbeutel im Garkorb schmelzen
Einfach den Spritzbeutel mit Schokolade füllen, in den eingehängten Garkorb hängen und Wasser im Mixtopf erhitzen. Vorsicht beim Entnehmen des heißen Spritzbeutels, am besten ein Küchentuch verwenden!

Tipp 4: Den Garkorb zum Auftauen verwenden
Auf ähnliche Weise wie du einen Spritzbeutel im Garkorb erwärmst, kannst du auch gefrorenes Obst oder Gemüse in einem Gefrierbeutel in den Garkorb legen und anschließend mit heißem Wasser aus dem Mixtopf auftauen.

Tipp 5: Verwende den Garkorb als Sieb
Du kannst den Garkorb ganz einfach zum Sieben von Lebensmitteln verwenden! Fülle beispielsweise Nudeln, Obst oder Gemüse in den

Garkorb, spüle die Lebensmittel mit Wasser ab und lasse sie anschließend im Garkorb abtropfen. Für kleinteiligere Lebensmittel wie Reis kannst du auch den Varoma verwenden. Auf jeden Fall brauchst du dank des Thermomix ab sofort kein Sieb mehr in der Küche!

Gut zu wissen
Beim TM6 ist der Garkorb mit einem zusätzlichen Deckel ausgestattet, der verhindert, dass der Garkorb überfüllt wird. Beim TM5 solltest du selbst darauf achten, den Garkorb nicht über den Rand aufzufüllen, da ansonsten das Füllgut gequetscht und der Garvorgang nicht optimal ausgeführt werden kann.

Messbecher

Der Messbecher hilft, das emsige Lärmen des Thermomix zu dämpfen.

Tipp 1: Den Messbecher abnehmen, wenn es luftig werden soll
Beispielsweise bei der Zubereitung von Eischnee oder Schlagsahne solltest du den Messbecher herausnehmen, damit genügend Luft in den Mixtopf gelangen kann. Weitere Tipps zum Schlagen von Eiweiß findest du im Kapitel 2 unter "Schlagen".

Tipp 2: Den Messbecher als Ausstechform verwenden
Der Messbecher eignet sich aufgrund seiner oval-runden Form hervorragend zum Ausstechen von Oster- und Weihnachtsplätzchen. Einfach mal ausprobieren!

Tipp 3: Den Messbecher zum Abmessen verwenden
Eigentlich ein offensichtlicher Tipp, wenn man sich überlegt, dass der Messbecher sicher aus gutem Grund so heißt, aber allzu oft wird er tatsächlich nur zum Abschließen des Mixtopfdeckels verwendet. Der Messbecher fasst genau 100 ml, eignet sich also perfekt zum Abmessen von kleinen Flüssigkeitsmengen.

Mixtopf und Mixtopfdeckel

Der Mixtopf inklusive Deckel ist das Herzstück deines Thermomix. Der Mixtopf selbst ist aus Edelstahl und spülmaschinenfest, genau wie der aus Gummi gefertigte Mixtopfdeckel. Während der Mixtopf selbst so ziemlich jeder Beanspruchung standhält, ist der Mixtopfdeckel etwas empfindlicher.

Worauf du beim Umgang mit dem Mixtopf achten solltest

Da die Waage des Thermomix sehr empfindlich ist und durch übermäßigen Druck in ihrer Messgenauigkeit gestört werden kann, solltest du achtgeben, den Mixtopfdeckel nicht mit zu viel Kraft auf den Mixtopf zu drücken. Am besten hebst du, wann immer möglich, den Mixtopf aus dem Thermomix-Gehäuse heraus und setzt dann den Mixtopfdeckel auf. So hast du sicher länger etwas von deinem Thermomix! Ein weiterer wichtiger Hinweis: bitte niemals den Mixtopfdeckel gewaltsam abheben, auch wenn er sich zunächst nicht öffnen lässt. Aus Sicherheitsgründen solltest du immer warten, bis die Verriegelungsarme den Mixtopfdeckel freigeben – also lieber in Geduld üben.

Tipp 1: Den Rand des Mixtopfdeckels immer sauber halten

Du setzt den Mixtopfdeckel auf und er schließt nicht richtig? Die einfachste Lösung in diesem Fall heißt meist Küchenpapier. Einfach einmal mit etwas Küchenpapier oder einem Küchenhandtuch am Rand des Mixtopfs entlangfahren und Essensreste oder sonstige Verunreinigungen entfernen. Anschließend sollte der Mixtopfdeckel ohne Probleme schließen!

Tipp 2: Was tun, wenn sich der Mixtopfdeckel verformt?

Es kann vorkommen, dass sich der Mixtopfdeckel beim Zubereiten von sehr heißen Speisen verformt und dann nicht mehr exakt schließt oder sich nicht mehr aufsetzen lässt. Wenn dir das passiert, halte den Mixtopfdeckel einfach für kurze Zeit unter kaltes Wasser und er nimmt wieder seine ursprüngliche Form an.

Gut zu wissen

Wenn der Thermomix nicht startet, kann das auch daran liegen, dass der Mixtopfdeckel nicht korrekt aufgesetzt ist. Falls das Programm also nicht wie gewohnt loslegt, am besten den Sitz des Mixtopfdeckels überprüfen und falls dieser sich verformt hat und deswegen nicht mehr exakt aufliegt, wie unter Tipp 1 beschrieben den Mixtopfdeckel unter kaltes Wasser halten und dann erneut aufsetzen.

Tipp 2: Zwei Mixtöpfe für Süß und Herzhaft
Wenn du deinen Thermomix gerne sowohl zum Zubereiten von herzhaften, wie auch süßen Speisen verwendest, kann es empfehlenswert sein, sich einen zweiten Mixtopf anzuschaffen. Dann hast du die Möglichkeit, einen Mixtopf ausschließlich für süße Speisen, und den zweiten ausschließlich für herzhafte Leckereien einzusetzen. Damit sparst du dir einiges an Reinigungsaufwand.

Denn beim Zubereiten von geschmacksintensiven Gerichten etwa mit Knoblauch kann es vorkommen, dass sich der Geruch und Geschmack im Thermomix festsetzt und das nächste zubereitete Gericht ebenfalls einen leichten Hauch von Knoblauch erhält. Während das beim Zubereiten von ausschließlich sauren Speisen meist kein Problem ist, willst du sicher nicht, dass dein Schokoladeneis nach Knoblauch schmeckt. In Kapitel 4 kannst du herausfinden, wie du hartnäckige Gerüche und Geschmacksüberbleibsel aus dem Mixtopf entfernst. Alternativ legst du dir zwei Mixtöpfe zu und sparst dir die penible Reinigung.

Ein weiteres häufig auftretendes Problem beim Mixtopfdeckel ist, dass er sich bei der Zubereitung von sehr farbintensiven Lebensmitteln und Gewürzen – berühmt berüchtigt sind hier zum Beispiel Rote Beete und Kurkuma – verfärben kann. Was in einem solchen Fall zu tun ist, kannst du in Kapitel 4 nachlesen.

Schmetterling

Der Schmetterling – auch Rühreinsatz genannt – ermöglicht es dir, im Thermomix Schlagsahne, Zabaione oder auch eine Sauce Hollandaise sowie Mayonnaise zuzubereiten. Aber nicht nur das, der Schmetterling bietet dir einige Möglichkeiten, deine Gerichte zu verfeinern, von denen du vielleicht noch nie gehört hast!

Worauf du beim Umgang mit dem Schmetterling achten solltest
Bitte den Schmetterling niemals über Stufe 4 benutzen. Solltest du über

ein Rezept stolpern, das vorsieht, den Schmetterling mit einer höheren Stufe einzusetzen, hat der Rezepte Verfasser einen Fehler gemacht.

Ein weiterer Tipp: Wenn du dir die Klingen im Mixtopf genauer ansiehst, siehst du, dass zwei nach oben zeigen, während die beiden anderen nach unten gerichtet sind. Die nach oben gerichteten Klingen sind die Hauptklingen. Du solltest den Schmetterling so einsetzen, dass er rechts von den nach oben gerichteten Klingen befestigt ist. Auf diese Weise ist der Schmetterling stabiler und es ist unwahrscheinlicher, dass der Rühreinsatz sich löst, während du etwas im Thermomix zubereitest. Du wirst sehen, dass du den Schmetterling weniger bewegen kannst, wenn du ihn so in den Mixtopf einsetzt. Auf jeden Fall stets kontrollieren, ob der Schmetterling festsitzt, bevor du mit dem Schlagen beginnst.

Tipp 1: Wie du dein Sorbet so richtig luftig bekommst
Nachdem du die gefrorenen Früchte für dein Sorbet im Thermomix gemischt hast, kannst du im letzten Schritt etwas Sahne oder Eiweiß unterschlagen, um das Sorbet traumhaft luftig werden zu lassen. Du wirst den Unterschied sehen und schmecken!

Spatel

Der Spatel ist wie alle anderen Teile des Thermomix sehr genau durchdacht. Vor allem ist er genau so lang, dass du ihn beim Mixen im Mixtopfdeckel halten kannst, ohne dass seine Spitze die Klingen des Mixers berührt. Daher solltest du auch vorsichtig sein, wenn du einen Ersatzspatel bestellst, der nicht von Vorwerk ist: unbedingt checken, wie lang der Spatel ist und ob er nicht mit den Mixmessern in Berührung kommt. Sonst hast du nämlich womöglich Plastikteilchen im Essen und der Spatel ist schnell hinüber.

Tipp 1: Wie du lange etwas von deinem Spatel hast
Eine nützliche Angewohnheit ist, den Spatel stets im Uhrzeigersinn zu bewegen, wenn du ihn dafür einsetzt, Zutaten aus dem Mixtopf herauszuholen. Mit diesem Trick kommt der Spatel nur mit der stumpfen Seite der Messerklingen in Berührung und du verhinderst, dass der Spatel im Laufe der Zeit Schaden nimmt.

Tipp 2: Wie du den Spatel zusammen mit dem Gareinsatz verwendest

Du kannst den Spatel hervorragend verwenden, um den Gareinsatz aus dem Mixtopf herauszuheben. Der Spatel hat hierfür extra eine Ausbuchtung, mit der du den Spatel ganz einfach im Gareinsatz einhängen kannst. Wenn du den Spatel auf diese Weise verwendest, solltest du unbedingt darauf achten, dass du den Spatel aus dem Gareinsatz entfernst, nachdem du den Gareinsatz herausgehoben hast und auf einer ebenen Oberfläche abgestellt hast. Ansonsten kann es passieren, dass der Spatel den Gareinsatz zum Umkippen bringt.

Tipp 3: Wie du mit dem Spatel andere Funktionen unterstützen kannst

Insbesondere beim Umrühren von Teigen oder Zerkleinern von Zutaten kann es passieren, dass sich ein Teil des Teiges oder der Zutaten im oberen Teil des Mixtopfes ansammeln und der Motor eventuell leerläuft. Sollte das passieren, einfach den Spatel in die Öffnung im Mixtopfdeckel stecken und beim Umrühren mit dem Spatel etwas nachhelfen.

Spritzschutzdeckel (nur beim TM6)

Mit dem neuen TM6 erhältst du auch einen Spritzschutzdeckel mitgeliefert, sodass du nicht mehr die zuvor von mir beschriebenen Tricks anwenden musst, sondern einfach den Spritzschutzdeckel aufsetzt, wenn zwar der Dampf, aber keine Fettspritzer entweichen sollen. Vor allem, wenn du Lebensmittel anbrätst, solltest du immer daran denken, den Spritzschutzdeckel aufzusetzen, um Verbrennungen und Verschmutzung zu vermeiden!

Gut zu wissen

Der Spritzschutzdeckel wurde zwar für den TM6 entwickelt, passt aber genauso auf den TM5! Das heißt, wenn du nachrüsten möchtest, solltest du nicht zögern und dir den Spritzschutzdeckel auch für deinen TM5 zulegen.

Varoma

Mit dem Varoma kannst du dämpfen und "backen" (mehr erfährst du im ersten Kapitel unter "Dämpfen"). Der Varoma fasst ganze 3.3 Liter und gestattet es dir, auf mehreren Ebenen zu kochen, beispielsweise im Mixtopf, im Gareinsatz und im Varoma gleichzeitig.

Worauf du beim Umgang mit dem Varoma achten solltest
Niemals den Varoma selbst berühren, sondern immer nur die Griffe an den Seiten des Varoma, ansonsten könntest du dich verbrennen. Und bitte den Varoma nicht zum Warmhalten in den Backofen stellen.

Tipp 1: Verwende Dämpf- oder Backpapier, um Tropfen zu vermeiden
Indem du den Boden des Varoma-Einlegebodens abdeckst, fängst du Flüssigkeit mühelos ein und simple Gerichte, wie etwa ein Omelett, werden noch einfacher. Drehe dazu den Varoma-Einlegeboden um und zeichne die Form nach – und schon erhältst du ein in der richtigen Größe zugeschnittenes Stück Backpapier. Feuchte das Backpapier leicht an, bevor du es in den Varoma-Einlegeboden legst, wodurch es sich einfacher an die Form anpasst. Achte auch hier darauf, dass du am oberen Rand des Einlegebodens Dampfschlitze freilässt.

Tipp 2: Platziere den Varoma so, dass der Dampf abziehen kann
Beim Einsatz des Varoma entweicht viel Dampf, daher solltest du den Thermomix insbesondere beim Dämpfen nicht direkt unter einen Oberschrank stellen, sondern am besten unter die eingeschaltete Dunstabzugshaube (bei ausgeschaltetem Herd).

Tipp 3: Nutze den Varoma als Salatschleuder
Einfach den nassen Salat in den Varoma legen, schütteln und schon ist der Salat fertig vorbereitet. Somit fällt noch ein Teil weg, das du in der Küche herumstehen haben musst – dein Thermomix ersetzt die klassische Salatschleuder.

Tipp 4: Nutze den Varoma als Entsafter
Wusstest du schon, dass du im Varoma Früchte ganz einfach entsaften kannst? Dazu Wasser in den Mixtopf geben, dann die

Früchte (beispielsweise Holunder- oder Johannisbeeren) in den Varoma einfüllen und dämpfen. Die in den Früchten enthaltene Flüssigkeit tropft nach und nach in den Mixtopf und du erhältst einen wunderbaren Fruchtsaft. Im Vergleich zum Entsafter ist das Ergebnis leicht wässriger, da du ja zunächst Wasser in den Mixtopf geben musst (niemals den Mixtopf ohne Inhalt erhitzen!), aber je nach Frucht macht das meistens nichts und du brauchst keinen extra Entsafter in der Küche herumstehen zu haben!

Tipp 5: Verwende den Varoma als Nudelsieb
Wenn du im Thermomix Nudeln kochst, kannst du den Varoma auch als Nudelsieb verwenden und sparst dir so gleich ein weiteres Küchenutensil. Einfach den Varoma-Einlegeboden in das Spülbecken legen und die Nudeln aus dem Mixtopf hineingießen. Das funktioniert natürlich genauso gut für alle anderen Lebensmittel, die du abgießen möchtest, wie etwa Reis, Bohnen oder Kartoffeln.

Tipp 6: Verwende den Varoma als luftdurchlässigen Deckel
Wenn du beispielsweise Saucen einkochen möchtest, ist der Varoma eine Riesenhilfe: Platziere ihn einfach auf dem Mixtopfdeckel anstelle des Messbechers, sodass die Luft (und die darin enthaltene Feuchtigkeit) entweichen kann.

Tipp 7: Verwende den Varoma zum Teller-Anwärmen
Darauf muss man erst einmal kommen: Dank des Varoma kannst du ab sofort von vorgewärmten Tellern essen wie im Restaurant! Einfach circa 10 Minuten vor Ende der Varoma-Kochzeit die Teller auf dem Varoma platzieren. Vorsicht, damit sie nicht herunterfallen, es sollten auch nicht zu viele sein.

Wie gelangst du an Ersatzteile?

Du hast deinen Schmetterling aus Versehen auf die heiße Herdplatte gelegt und er ist halb geschmolzen? Oder dir ist auf andere Weise ein Zubehörteil des Thermomix kaputtgegangen? Gar kein Problem. Du kannst alle Ersatzteile ganz bequem online im Thermomix-Shop auf Thermomix.de oder bei deiner Thermomix-Repräsentantin nachbestellen.

3.4 Welches Thermomix Zubehör kannst du dir zusätzlich besorgen?

Neben den bereits mitgelieferten Teilen des Thermomix kannst du dir natürlich auch weiteres Zubehör besorgen. Hier siehst du, welches Zubehör (in alphabetischer Reihenfolge) du dir anschaffen kannst und wofür du es einsetzen kannst.

Im **Bonusheft (schaue dazu hinten ins Buch!)** erhältst du weitere Tipps, welches Zubehör du für welche Zusatzfunktion benötigst, konkrete Kaufempfehlungen und worauf du beim Kauf achten solltest. Auf der letzten Seite dieses Ratgebers findest du mehr Informationen zum Bonusheft.

Aufkleber

Du möchtest deinen Thermomix optisch gerne etwas aufpeppen? Dann sind speziell für den Thermomix zugeschnittene Aufkleber genau das Richtige für dich. Es gibt sie in verschiedenen Designs und Größen.

Backformen

Du backst gerne im Varoma? Dann ist dieses Zubehör ideal für dich. Von Springformen über Kastenformen bis hin zu Gugelhupfformen findest du jede Backform, die du normalerweise für deinen Backofen erwerben kannst, auch speziell an die Größe des Varoma angepasst. Damit erübrigt es sich, Kuchen in Gläsern zu backen und du kannst deinen Thermomix zu einem vollwertigen Backofen-Ersatz upgraden.

Wie du an Backformen gelangst
Vorwerk bietet eigens auf den Thermomix abgestimmten Backformen, die sogenannten Varoma-Backformen, die auch einen Deckel mitbringen, sodass du beispielsweise Nachtisch einfach transportieren und schön präsentieren kannst. Auch von Drittanbietern kannst du Backformen für den Varoma erwerben.

Chipboard für Rezeptchips (nur für den TM5)

Sobald du mehr als einen Rezeptchip für deinen Thermomix gekauft hast, stehst du vor dem Problem, dass die Rezeptchips ja irgendwie praktisch aufbewahrt werden müssen. Zum Glück gibt es magnetische Chipboards, an die du deine Rezeptchips ganz einfach anpinnen kannst. Das Chipboard kannst du z.B. am Kühlschrank befestigen, sodass du deine Kochbücher im Chipformat stets griffbereit zur Hand hast.

Wie du an ein Chipboard gelangst
Du kannst ein Chipboard für deine Rezeptchips bei Drittanbietern bestellen, allerdings nicht direkt von Vorwerk.

Cook-Key (nur für den TM5)

Rezepte für deinen Thermomix kannst du dir auf verschiedene Arten besorgen. Es gibt unzählige größtenteils kostenfreie Rezeptforen im Internet, allen voran das offizielle Thermomix-Forum "Rezeptwelt" mit derzeit fast 75.000 kostenfreien Rezepten.

Der Cook-Key ist ein smarter Chip, der kabellos über WLAN Rezepte von der Kochplattform www.cookidoo.de (nicht dieselbe Plattform wie www.rezeptwelt.de) auf deinen Thermomix überträgt. Auf Cookidoo kannst du ganz einfach deine Lieblingsrezepte auswählen, individuelle Rezeptlisten zusammenstellen, einen Wochenplan mit deinen geplanten Gerichten erstellen und Vorlieben und Rezeptvariationen direkt zum jeweiligen Rezept notieren. Sobald du beim Thermomix-Display auf das Synchronisierungssymbol drückst, übertragen sich alle deine Rezepte direkt auf den Thermomix und du kannst nach Anweisung kochen.

Der Cook-Key wird ganz einfach per Magnet seitlich an deinem Thermomix befestigt. Ein weiterer Vorteil des Cook-Key: über den Cook-Key erhältst du auch das Firmware Update, das es dir ermöglicht, die Lautstärke und Dauer des Signaltons einzustellen. Nachdem das Update durchgeführt wurde (du musst dafür auf dem Thermomix-Display dein Einverständnis geben), einfach im Menü unter dem Menüpunkt "Töne" die gewünschten Einstellungen vornehmen. Beim

TM6 brauchst du den Cook-Key nicht mehr, da der TM6 WLAN und Cookidoo bereits integriert hat.

Wie du an deinen Cook-Key gelangst
Den Cook-Key kannst du ganz einfach online oder bei deiner Thermomix-Repräsentantin bestellen.

Gut zu wissen
Damit du auf die Cookidoo-Rezepte mit dem TM6 zugreifen kannst, benötigst du entweder Internetzugang oder du musst die Rezepte heruntergeladen haben. Wenn du also mit dem TM6 verreisen möchtest, z.B. im Wohnwagen, und unter Umständen kein WLAN haben wirst, solltest du daran denken, vorher passende Rezepte auszusuchen, diese herunterzuladen und somit auf dem Thermomix zu speichern.

Displayschutzfolie

Da es bei intensiver Nutzung natürlich doch vorkommt, dass das Display deines Thermomix Kratzer und Spritzer abbekommt, ist das Display mit der Zeit eventuell schwer einsehbar. Daher empfiehlt es sich, eine transparente Displayschutzfolie zu bestellen. Funktioniert genauso wie beim Handy und schützt die Displayoberfläche zuverlässig vor Beschädigung. Wenn du den Text auf dem Display deines Thermomix irgendwann dennoch schwer lesen kannst, einfach die Displayschutzfolie austauschen – viel einfacher, als deinen Thermomix reparieren oder austauschen zu lassen!

Wie du an eine Displayschutzfolie gelangst
Einfach bei einem Drittanbieter bestellen. Bisher gibt es Displayschutzfolien noch nicht direkt von Vorwerk.

Garfolie

Wenn du viel im Varoma zubereitest und nicht jedes Mal das Backpapier selbst zuschneiden möchtest, solltest du dir eine Garfolie anschaffen. Damit sparst du dir einiges an Zeit und die Form passt perfekt in den Varoma.

Wie du an eine Garfolie gelangst
Es gibt verschiedene Drittanbieter, die Garfolien anbieten. Achte darauf, dass die Garfolien genau für dein Thermomix-Modell zugeschnitten sind und Dampfschlitze an den Seiten freilassen, sodass die Luft im Varoma zirkulieren kann. Von Vorwerk sind bisher keine Garfolien erhältlich.

Gleitbrett und der Wunderslider

Insbesondere, wenn du deinen Thermomix des Öfteren bewegst, solltest du die Anschaffung eines Gleitbretts in Erwägung ziehen. Ansonsten wird es zwangsläufig passieren, dass sich Schmutz und Dreck an den Füßen des Thermomix ansammeln und dadurch die Genauigkeit oder Funktion der Waage beeinträchtigt wird.

Wie du an ein Gleitbrett beziehungsweise einen Wunderslider gelangst
Gleitbretter kannst du in allen möglichen Formen und Farben online erwerben. Es gibt auch einen extra für den Thermomix entwickelten sogenannten Wunderslider, der mithilfe von zwei Stiften an der Unterseite des Thermomix befestigt wird. Er hat den Vorteil, dass er quasi unsichtbar und sehr leicht ist. Da er außerdem nur die beiden hinteren Standfüße des Thermomix bedeckt (um den Thermomix zu verschieben, hebst du einfach die zwei vorderen Standfüße an), hat der Thermomix weiterhin einen sicheren Stand und verrutscht nicht.

Messerdrehhilfe

Solltest du deinen Thermomix regelmäßig zum Kneten von Teigen benutzen, kennst du sicher das Problem, dass der Teig sich nur schwer vom Boden des Mixtopfes löst. Für dieses Problem gibt es eine einfache Abhilfe: eine Messerdrehhilfe, die du am Boden des umgedrehten Mixtopfes (den du dafür aus dem Thermomix heraushebst) ansetzt und drehst, sodass die Mixmesser den Teig lösen. Einfach und praktisch.

Wie du an deine Messerdrehhilfe gelangst
Messerdrehhilfen gibt es bei Drittanbietern zu kaufen, einfach googeln und du findest eine Auswahl an Messerdrehhilfen für verschiedene Thermomix-Modelle in Kunststoff oder Edelstahl.

Gut zu wissen
Dieses Zubehör benötigst du eher für den TM5 als den TM6, da Vorwerk beim TM6-Modell nachgerüstet hat und die Mixmesser sich leichter von außen drehen lassen, um hartnäckigen Teig aus dem Mixtopf zu lösen. Falls du begeisterte Teigbäckerin oder begeisterter Bäcker bist, kann es sich aber auch beim TM6 für dich lohnen, dir das Leben mit dem Thermomix mit einer Messerdrehhilfe noch einen Tick leichter zu machen.

Reinigungsbedarf

Zum Reinigen deines Thermomix benötigst du vor allem ein gutes Reinigungsmittel sowie eine Reinigungsbürste und ein feuchtes Tuch. Den Thermomix niemals unter Wasser halten, da das Gehäuse und die darin enthaltene Elektronik allergisch auf Kontakt mit Feuchtigkeit reagieren können!

Wie du an Reinigungsmittel und Reinigungszubehör gelangst
Von Vorwerk selbst gibt es kein Reinigungszubehör zu kaufen, aber es gibt jede Menge an speziell auf den Thermomix abgestimmten Produkten von Drittanbietern zu kaufen. Beim Reinigungsmittel und der Reinigungsbürste kannst du auch auf nicht speziell für den Thermomix vermarktete Produkte zurückgreifen. Es empfiehlt sich, einen ökologischen Reiniger zu kaufen, der deinen Thermomix auf rein pflanzlicher Basis und ohne aggressive Chemikalien reinigt. Dadurch wird das Material geschont und es ist auch gesünder, da du den Thermomix oft in Verwendung hast und dementsprechend oft reinigst.

Wenn du dir die Reinigung der Mixtopfmesser erleichtern möchtest, kann es eine gute Idee sein, eine Reinigungsbürste zu kaufen, die genau auf die Maße deines Thermomix-Modells abgestimmt ist und so in jeden Zwischenraum gelangt. Flaschenbürsten aus dem Fachhandel erledigen die

Reinigungsaufgabe dabei fast genauso gut wie extra für den Thermomix hergestellte Mixmesserbürsten (und sind deutlich günstiger).

Schneidebrett

Auch wenn der Thermomix dir einiges an Arbeit abnimmt, Gemüse schnippeln oder Fisch in Streifen schneiden kann er noch nicht. Daher benötigst du für den täglichen Gebrauch deines Thermomix auf jeden Fall ein gutes Schneidebrett.

Wie du an ein Schneidebrett gelangst
Vorwerk bietet im Thermomix-Shop ein Schneidebrett aus Eiche mit rutschfesten Gummifüßen an. Selbstverständlich ist auch jedes andere Schneidebrett mit deinem Thermomix kompatibel.

3.5 Welche Küchengeräte den Thermomix optimal ergänzen

Der Thermomix kann doch eigentlich schon alles – wozu also solltest du dir weitere Küchengeräte anschaffen? Der Thermomix kann zwar backen, Sahne schlagen, Teig kneten, Eiswürfel zerkleinern und so viele Dinge mehr, aber natürlich gibt es Einiges, was der Thermomix (noch) nicht kann, zum Beispiel Grillen!

Dafür ist der Thermomix die ideale Ergänzung für viele Küchenmaschinen, denn beim Vorbereiten von Teigen oder Marinaden ist er unschlagbar. Mit welchen anderen Küchengeräten sich der Thermomix optimal ergänzt, erfährst du im Folgenden. Auch in unserem Bonusheft findest du einen hilfreichen Überblick, welche Küchengeräte die optimale Ergänzung zu deinem Thermomix bieten. Mehr Informationen zum Bonusheft findest du auf der letzten Seite dieses Ratgebers.

Backofen

Einen Backofen haben natürlich die meisten, daher lohnt es sich zu wissen, welche Gerichte dein Thermomix in Zusammenarbeit mit dem Backofen so alles zaubern kann! Insbesondere sind das natürlich Pizza- und Brotteige, die du mit deinem Thermomix so richtig schön luftig und leicht hinbekommst, um sie anschließend im Backofen auszubacken.

Aber auch das süße Bäckerherz frohlockt mit dem Thermomix. Technisch gesehen "backt" der Thermomix nicht wirklich, da dafür Temperaturen über 120 Grad erforderlich sind, aber er dämpft Kuchen und Torten, die sogar saftiger sind als aus dem Backofen! Außerdem gibt es viele Kuchen, die gar nicht gebacken werden müssen, beispielsweise ein Kalter Hund. Für alle andere Kuchen geht dir dein Thermomix beim Kneten zur Hand und anschließend kommt der Backofen zum Einsatz – so einfach und schnell war Backen noch nie!

3.6 So gelingen dir wunderbare Kuchen mit Thermomix und Backofen

Wenn du Kuchenteige vorbereitest und anschließend im Backofen ausbackst, stößt du womöglich auf die folgende, sehr häufig auftretende Herausforderung: deine Kuchen werden nicht so fluffig wie gewünscht und sie gehen nicht richtig auf! Zum Glück gibt es ein paar Tipps, die du nachfolgend aufgelistet findest:

Tipp 1: Verwende die richtige Butter
Den Anfang macht die Butter. Das erste Problem: Standardbutter enthält oft viel Wasser, das im Ofen entweicht und den Kuchen zusammenfallen lässt. Die Lösung: Verwende Butter, die einen hohen Fettgehalt aufweist.

Das zweite Problem: Die Butter sollte weich sein, damit du sie gut mit den anderen Zutaten vermischen kannst. Oft nimmt man deswegen die Butter vor dem Backen aus dem Kühlschrank, um sie auf Zimmertemperatur zu erwärmen. Dadurch kann es passieren, dass die Butter zu warm wird und im Ofen zu schnell schmilzt, was dazu führt, dass der Kuchen in der Mitte einsinkt. Die Lösung: Nimm die Butter direkt aus dem Kühlschrank und lasse sie im Thermomix auf Stufe 5 für 20 bis 40 Sekunden cremig weich werden, bevor du die anderen Zutaten hinzugibst.

Tipp 2: Achte auf die Qualität des Mehls
Mehl ist nicht gleich Mehl. Die günstigste Mehlsorte im Supermarkt weist meist nicht die beste Qualität auf und das Mehl ist vermutlich gebleicht oder anderweitig behandelt worden. Hochqualitatives Mehl dagegen verleiht deinem Kuchen eine stabile Struktur und sorgt dafür, dass er gleichmäßig aufgeht. Am besten mahlst du dein eigenes Mehl (siehe Kapitel 2 unter "Mahlen" und Kapitel 6 unter "Backzutaten"), dann kannst du sicher gehen, dass die Qualität der Körner gut ist. Bei Mehl aus dem Supermarkt solltest du die bessere Qualität wählen und auch mit verschiedenen Marken oder Sorten experimentieren, bis du die für dich passende gefunden hast.

Tipp 3: Das Backpulver sollte nicht zu alt sein
Wenn dein Kuchen nicht fluffig genug wird, kann das auch daran liegen, dass das Backpulver entweder alt oder nicht ausreichend viel im Teig war. Achte also darauf, dass dein Backpulver nicht älter als drei Monate ist (kaufe am besten kleine Packungen und brauche diese schnell auf) und dass du auch wirklich ausreichend Backpulver, gemäß den Angaben, hinzufügst.

Tipp 4: Gehe sanft mit deinem Teig um
Um deinem Teig zu erlauben, im Backofen schön aufzugehen, solltest du ihn nicht zu intensiv mixen. Da der Thermomix viel mehr Kraft hat als jeder menschliche Kuchenbäcker, der den Teig mit den Händen mischt, solltest du den Mix-Modus bei Teig für maximal 45 Sekunden einschalten (den Teig-Modus kannst du natürlich für eine längere Zeitdauer verwenden, da er schonender mit dem Teig umgeht). So stellst du sicher, dass nicht alle Luft aus dem Teig entweicht, wie das bei zu intensivem Mixen der Fall ist. Möchtest du, dass der Teig noch gleichmäßiger wird, solltest du also lieber den Knet-Modus als den Mix-Modus wählen.

Tipp 5: Lass die Teigblase platzen
Du hast sicher schon bemerkt, dass sich beim Teigmischen oftmals eine Blase bildet. Das kommt daher, dass der Teig am Boden des

Mixtopfes viel schneller geschlagen wird als die Zutaten weiter oben im Mixtopf, wodurch sich diese Blase bildet. Am besten hältst du daher den Thermomix nach der Hälfte der Mix-Zeit kurz an, bringst die Blase mit deinem Spatel zum Zerplatzen und kratzt Teigreste von den Wänden, sodass sie nach unten in den Mixtopf fallen und näher an den Mixmessern liegen.

Tipp 6: Wähle die richtige Backform

Die Wahl der Backform ist entscheidend für das Backergebnis. Ist die Backform zu klein (beziehungsweise überfüllst du die Backform), wird der Kuchen nicht innerhalb der Backzeit fertig und sinkt in der Mitte ein. Wählst du dagegen eine zu große Backform, passiert es leicht, dass die Seiten schön goldbraun werden, während der Kuchen im Inneren noch teigig ist. Um dem Teig genügend Raum zum Aufgehen zu geben, ihn aber auch nicht in eine zu kleine Backform zu füllen, ist eine Backform ideal, die der Teig genau zur Hälfte beziehungsweise zu einem Drittel ausfüllt.

Tipp 7: Verschließe den Kuchenboden, bevor du die Glasur aufträgst

Wenn du vorhast, eine Glasur, also beispielsweise eine Ganache oder Zuckerguss auf deine Muffins oder deinen Kuchen aufzubringen, solltest du den noch warmen Teig "abdichten". Dadurch wird der Kuchen weniger schnell trocken und wird stabiler, sinkt also nicht so leicht ein. Am besten erhitzt du etwas Marmelade im Thermomix (für 2 Minuten bei 100 Grad auf Stufe 1) und trägst diese anschließend im flüssigen Zustand dünn auf der Kuchenoberfläche auf. Ein weiterer Vorteil: So hält anschließend auch die Ganache oder Zuckergussglasur besser!

Tipp 8: Trage die Glasur stufenweise auf

Um ein besonders gleichmäßiges Ergebnis zu erhalten, trägst du die Glasur oder Ganache am besten in zwei Etappen auf. Die erste Schicht dient lediglich dazu, die Kuchenoberfläche eben werden zu lassen und Ungleichmäßigkeiten auszugleichen. Anschließend solltest du den Kuchen für eine halbe Stunde im Kühlschrank abkühlen lassen, bevor du die finale Schicht Ganache oder Glasur aufträgst.

Und schon wird dein Kuchen im Inneren garantiert fluffig und leicht, geht gut auf und sieht am Ende fabelhaft aus! So schmeckt er sicher auch besser.

Grill

Grillstreifen auf Fleisch und Gemüse und die damit verbundenen unwiderstehlichen Brataromen zaubern kann der Thermomix leider noch nicht. Falls du auch im Alltag ein Fan von Gegrilltem jeder Art bist – von Gemüse über Fleisch und Fisch bis hin zu Panini –, lohnt sich die Anschaffung eines Optigrills, der in deiner Küche kaum Platz wegnimmt, aber vielseitig einsetzbar ist. Bist du mehr der Sommergriller, ist natürlich der klassische Außengrill eine hervorragende Idee. Bereite zum Grillfleisch und anderen Leckerbissen vom Grill einfach ein paar köstliche frische Dips und Kräuterbutter aus dem Thermomix und fertig ist der Grillgenuss.

Heißluftfritteuse

Du bist ein inniger Pommes Liebhaber? Mit dem Thermomix (und einem Backofen) kannst du zwar auch köstliche Pommes zaubern, aber außen knackig und innen weich frittiert sind sie nicht. Viel einfacher geht das mit einer Heißluftfritteuse, die manche auch Airfryer nennen. Eine Heißluftfritteuse frittiert unter minimalem Einsatz von Fett, das Ergebnis ist aber mit dem einer normalen Fritteuse vergleichbar. Das heißt, du kannst den gleichen Genuss wie bei gekauften Fritten erleben, weißt aber, dass deine Pommes gesünder, weil fettarmer sind!

Pasta Maker

Der Thermomix eignet sich hervorragend, um Nudelteige zu kneten – und er mahlt dir sogar das Mehl dafür, wenn du das möchtest. Der Thermomix knetet dir den Teig wie ein echter Nudelmeister, geduldig und mit großer Sorgfalt. Was das Formen der Nudeln betrifft, kannst du entweder zu Nudelholz, Ausstechformen und Messer greifen, oder aber zum Pasta Maker. Es gibt sowohl manuelle als auch automatische Pasta Maker, in die du einfach deinen Teig hineingibst und anschließend kommen deine wohlgeformten Nudeln heraus.

Spiralschneider

Du dämpfst gerne Zucchininudeln im Varoma oder dekorierst deine Gerichte mit feinen Karottenstreifen? Dann wirst du dir sicher einen Spiralschneider zulegen wollen. Damit kannst du Gemüse auf raffinierte Weise zubereiten und das im Handumdrehen. Im wortwörtlichen Sinne, an manche Spiralschneider kannst du sogar eine Bohrmaschine anschließen, die das Drehen übernimmt!

Überlege dir vor dem Kauf am besten, welche Mengen du mit deinem Spiralschneider zubereiten möchtest – Familienportionen an Nudeln oder nur ein paar Rote-Beete-Spiralen als Deko? Je nachdem empfiehlt sich dann ein kleiner Hand-Spiralschneider (von der Größe vergleichbar mit einem klassischen Hobelgerät) oder aber ein manuelles oder automatisches Gerät, das auch größere Mengen im Handumdrehen bewältigt.

4
Wie du deinen Thermomix am besten reinigst

Der Thermomix ist vermutlich eines der am häufigsten genutzten Küchengeräte. Da du ihn so oft verwendest, muss er auch oft gereinigt werden. Praktischerweise gibt es hierzu einige Tipps und Tricks, angefangen bei optimal geformten Spülbürsten (mehr dazu findest du im Kapitel "Zubehör") bis hin zu kreativen Ideen, wie du das Reinigen deines Thermomix erst einmal aufschiebst, indem du zum Beispiel nach dem Schokolade Schmelzen gleich eine heiße Schokolade zubereitest (mehr dazu kannst du im Kapitel 6 lesen, wo sich alles um das Thema Resteverwertung dreht).

Um Tricks zum Reinigen selbst dreht sich dieses Kapitel. Hier erfährst du alles zur Reinigung deines Thermomix, worauf du besonders achten solltest und wie du beispielsweise Verfärbungen ganz einfach entfernst.

4.1 Kurzer Überblick über dieses Kapitel

Zunächst findest du zum Einstieg einige **grundsätzliche** Hinweise, wie du den Thermomix je nach Verschmutzungsgrad und Art der Verschmutzung wieder blitzblank sauber bekommst.

Anschließend geht es etwas mehr in die Tiefe und du findest Tipps, wie du **hartnäckige Verschmutzungen und Angebranntes** entfernst.

Und sogar wie du ein Anbrennen von Lebensmitteln im Thermomix grundsätzlich vermeiden kannst!

Im nächsten Teil kannst du herausfinden, was du tun kannst, wenn es bei Teilen des Thermomix zu **Verfärbungen** kommt. Keine Angst, du kannst weiterhin großzügig mit Kurkuma würzen, denn mit ein paar einfachen Tricks verschwindet der Gelbstich wie von selbst.

Genau wie Verfärbungen, können auch **hartnäckige Gerüche** auftreten, die sich nach dem Kochen mit Knoblauch und Zwiebeln im Mixtopf festsetzen und nachfolgende Gerichte ungewollt geschmacklich beeinflussen. Zum Glück gibt es auch hierbei clevere Tricks, wie du Gerüche wieder loswirst und Süßspeisen nicht von Knoblauchgeruch durchdrungen werden.

Wenn du den Thermomix öfter zum Teigkneten einsetzt, kennst du das Problem sicher nur zu gut: die **Teigreste** sind einfach nicht aus dem Mixtopf zu bekommen! Wie du in diesem Teil sehen wirst, kannst du auch Teigreste auf unkomplizierte Art aus dem Mixtopf entfernen, ohne dass die Reinigung viel Zeit in Anspruch nimmt.

Der Thermomix kann jahrelang ein treuer Begleiter in deiner Küche sein, solange du ihn sorgfältig pflegst. Damit er auch top aussieht, findest du im letzten Teil ein paar Hinweise, wie du **deinen Thermomix zum Glänzen bringst**, sogar auf ganz natürliche Art und Weise!

4.2 Grundsätzliches zum Reinigen deines Thermomix

Am besten reinigst du den Thermomix stets direkt nach Gebrauch. Ansonsten trocknen Reste schnell an und können schlechter entfernt werden. Der **Mixtopf** wird im Prinzip wie jeder anderen Topf auch gereinigt: in vielen Fällen ist es ausreichend, ihn einfach mit klarem Wasser abzuspülen oder mit Spülmittel und warmem Wasser abzuwaschen – wie die meisten anderen Küchenutensilien auch. Vor dem Abspülen am besten die Mixtopfmesser ausbauen, die separat gereinigt werden sollten. Hierfür einfach den Mixtopf umdrehen, den Boden entfernen und die Messer vorsichtig herausnehmen.

Bei **gröberen Verschmutzungen** belässt du die Mixtopfmesser im Mixtopf und gibst etwas Wasser und Spülmittel in den Mixtopf, sodass die Mixtopfmesser vollständig bedeckt sind. Anschließend schaltest du für 30 Sekunden auf Stufe 5 (zwischendurch den Linkslauf anschalten) und wäschst anschließend den Mixtopf im Spülbecken aus. So schnell und einfach ist der Mixtopf wieder blitzblank!

Bei den Thermomix Modellen TM31, TM5 und TM6 geht es sogar noch einfacher: der Mixtopf inklusive Deckel sowie der Varoma, der Garkorb, der Schmetterling und auch der Messbecher sind alle **spülmaschinengeeignet**. Die **Mixtopfmesser** sind zwar an sich spülmaschinengeeignet, es empfiehlt sich aber, diese lieber von Hand zu waschen, da die Messer sonst mit der Zeit stumpf werden können. Wie im Kapitel “Zubehör” beschrieben, gibt es spezielle Reinigungsbürsten, mit denen du bei den Messern an jeden Winkel leicht herankommst. Nach dem Spülen die Mixtopfmesser am besten schnell abtrocknen, um ein Stumpfwerden zu vermeiden.

Worauf du beim Reinigen achten solltest
Während der Mixtopf und alles weitere Zubehör den Kontakt mit Wasser gut vertragen, reagiert der Thermomix an sich und die in ihm enthaltene Elektronik allergisch darauf! Daher den Thermomix selbst nie in Wasser tauchen und vor Kontakt mit Flüssigkeiten schützen. Du reinigst den Thermomix deshalb am besten mit einem feuchten Tuch, mit dem du alle Oberflächen und auch die Füße von Schmutz befreien kannst. Anschließend mit einem trockenen Tuch abtrocknen, um das Eindringen von Feuchtigkeit zu vermeiden.

4.3 Wie du hartnäckige Verschmutzungen und Angebranntes entfernst

Dir ist im Thermomix etwas angebrannt und er will partout nicht sauber werden? Gib etwas **Essig und/oder Backpulver** zusammen mit etwas Wasser in den Mixtopf und lasse diese Mischung kurz einwirken, bevor du den Mixtopf ausspülst. Insbesondere bei Verbranntem helfen auch **Zitronen**. Einfach eine halbierte Zitrone in den Mixtopf mit den hartnäckigen Resten geben und auf Stufe

10 für 5 Sekunden zerkleinern. Anschließend genügend Wasser hinzufügen, sodass die Mixtopfmesser bedeckt sind und 10 Minuten auf Stufe 3 / Varoma laufen lassen. Danach kurz ausspülen und verbrannte Reste mit einer Bürste wegschrubben. Dagegen hat selbst die hartnäckigste Verschmutzung keine Chance und du kommst bei diesen Reinigungsmethoden sogar ganz ohne Chemie aus!

Extra-Tipp: Spüle den Mixtopf am besten vor dem Kochen mit kaltem Wasser aus, so brennt dir anschließend weniger leicht etwas an und du ersparst dir die Arbeit, im Nachhinein angebrannte Reste entfernen zu müssen! Außerdem hilft es, stets zunächst Knoblauch und/oder Zwiebeln in Öl anzudünsten – auch damit brennt dir weniger leicht etwas an.

4.4 Wie du Verfärbungen vermeidest beziehungsweise entfernst

Wenn du gerne mit farbintensiven Lebensmitteln und Gewürzen kochst – beispielsweise mit Curry, Kurkuma, Karotten oder Rote Beete – kann sich der Thermomix verfärben. Aber keine Sorge, die Verfärbung ist nur oberflächlich und lässt sich verhältnismäßig einfach entfernen. Sollte also der Mixtopfdeckel mit der Zeit gelb geworden sein, lege ihn einfach in die Sonne und die Verfärbungen verschwinden wie von selbst.

Extra-Tipp: Beuge Verfärbungen vor, indem du den Mixtopfdeckel mit Rapsöl einreibst! Das verhindert, dass sich Verfärbungen überhaupt festsetzen können.

4.5 Wie du Teigreste ganz einfach entfernst

Besonders Teigreste bleiben gerne hartnäckig im Mixtopf kleben und lassen sich schwer mit Wasser entfernen. Anstatt mit Wasser, solltest du ihnen mit Mehl an den Kragen rücken – einfach ein paar Esslöffel Mehl in den Mixtopf geben und der Teig ist sofort weniger klebrig, wodurch er sich leichter lösen lässt. Entferne die Teigreste mit dem Spatel soweit möglich und schalte anschließend auf Turbo, sodass die letzten Teigreste an den Rand geschleudert werden und sich ganz einfach mit dem Spatel herauskratzen lassen. Anschließend kannst du den Mixtopf wie gewohnt abwaschen. Achte darauf, dabei nur kaltes Wasser zu verwenden, da sonst der Teig stockt.

4.6 Wie du deinen Thermomix zum Glänzen bringst

Es gibt einen Trick, wie du deinen Thermomix wieder auf Vordermann bringst, wenn er etwas abgestumpft aussieht. Neben dem zuvor beschriebenen Einsatz von Essig und Backpulver bei hartnäckigen Verschmutzungen kannst du auch Eierschalen zum Reinigen und Polieren deines Thermomix verwenden.

Der Eierschalen-Trick: Gib zwei Eierschalen mit etwas Wasser und Spülmittel in den Mixtopf und lasse den Thermomix eine Minute auf Stufe 10 laufen. Dabei unbedingt die Ohren zuhalten und alle anderen Familienmitglieder aus der Küche schicken! Anschließend für 6 Minuten bei 98 Grad auf Stufe 3 laufen lassen. Wenn der Schaum den Deckelrand erreicht hat, kannst du den Thermomix ausstellen. Lasse den Mixtopf noch zehn Minuten stehen und spüle ihn anschließend aus. Jetzt kannst du dich in deinem Mixtopf spiegeln, so blitzblank poliert ist er!

4.7 Wie du unangenehme Gerüche im Thermomix beseitigst

Klar, dein Thermomix ist viel im Einsatz und sieht so allerhand – auch sehr geruchsintensive Zutaten wie Knoblauch oder Zwiebeln, wodurch sich unangenehme Gerüche festsetzen können. Du wirst diese ganz einfach mit ein paar Tricks los.

Trick 1: Lasse den Thermomix offen stehen, wenn du ihn nicht verwendest. Dadurch wird der Thermomix gelüftet und Gerüche können sich nicht im Inneren des Thermomix intensivieren.

Trick 2: Mahle eine Handvoll Kaffeebohnen auf Stufe 10 im Mixtopf und lasse den Mixtopf anschließend ein paar Minuten stehen, sodass die Kaffeebohnen ihre neutralisierende Wirkung entfalten können. Mit diesen zwei Tricks schmeckt der Milchreis dann auch nicht mehr nach der Pasta vom Vortag, versprochen!

5
Wie du Reste im Thermomix optimal verwertest

Die Vielseitigkeit des Thermomix eröffnet dir ganz neue Möglichkeiten, Reste vor dem Mülleimer zu bewahren und diese stattdessen weiter zu verwerten. So manches "Reste-Essen" wird dir so zusagen, dass du es gleich in deine Rezepte Sammlung aufnehmen wirst. Du kannst so nicht nur im Kühlschrank verkümmernde Reste von allerlei Obst und Gemüse sinnvoll verwerten, mit dem Thermomix kannst du sogar Zutaten verwerten, an die du normalerweise nie gedacht hättest.

Wusstest du zum Beispiel, dass du aus Avocado Kernen ein Vitaminpulver für deinen Smoothie zaubern kannst? Oder, dass die Schalen und Blätter von Gemüse viele Nährstoffe und Vitamine erhalten, die du dir kreativ zunutze machen kannst?

Gut zu wissen
Du kannst die Schalen der meisten Gemüse- und Obstsorten bedenkenlos essen, es gibt aber ein paar Ausnahmen. Beispielsweise sind Rhabarberblätter nicht zum Verzehr geeignet, da sie Oxalsäure enthalten, die zu Vergiftungserscheinungen führen kann. Also bei Schalen, die du noch nie zubereitet hast, lieber kurz googeln, bevor du sie auf den Teller legst!

So manche Reste kannst du ganz einfach mit etwas Planung vermeiden, denn vor der Resteverwertung kommt die Restevermeidung. Jeder Deutsche wirft pro Jahr ca. 55 Kilogramm Lebensmittel in die Tonne, wovon knapp die Hälfte noch essbar wäre. Eine ganz schön große und teure Menge! Man schätzt, dass pro Person Lebensmittel im Wert von rund 235 Euro jährlich in den Müll wandern.

Der Großteil der unnötig weggeworfenen Lebensmittel: Obst und Gemüse. Indem du deinen Anteil an der Lebensmittelverschwendung minimierst, schonst du nicht nur deinen Geldbeutel, sondern auch die Umwelt. Schließlich führt die weltweite Lebensmittelverschwendung in der Landwirtschaft zu vielen Umweltproblemen. Noch ein Grund mehr, deine Lebensmittel nicht gleich in die Tonne wandern zu lassen, bloß weil sie nicht mehr ganz so knackig aussehen.

Nicht zuletzt macht es unglaublich Spaß, ein Reste-Essen zuzubereiten – manche sagen auch "Trash Menu" dazu, was etwas cooler klingt –, denn du kannst deine Kreativität voll ausleben und das Ergebnis fällt eigentlich überraschend lecker aus! Im Folgenden findest du jede Menge Tipps, wie du Reste von vornherein vermeidest, wie du diese sinnvoll verwertest, wenn sie doch anfallen und wie du zusätzlich einiges in essbare Gerichte verwandeln kannst, von dem du nicht einmal wusstest, dass es essbar ist!

5.1 Kurzer Überblick über dieses Kapitel

Dieses Kapitel besteht aus zwei Teilen. Im ersten Teil findest du Vorschläge, wie du das Anfallen von Resten von vornherein vermeiden kannst. Angefangen mit einer schlauen Planung (bei der dich Apps unterstützen können) über Ideen, wie du Gerichte so kombinierst, dass Reste sofort weiter verwertet werden und damit gar nicht erst anfallen, bis hin zur schlauen Rezeptsuche, die dir hilft, nach Zutaten zu kochen.

Im zweiten Teil bietet dieses Kapitel einen kleinen Exkurs zum Thema **Mindesthaltbarkeitsdatum** und was es eigentlich bedeutet.

Anschließend erfährst du einige Tipps zur **optimalen Lagerung von Lebensmittel**, sodass sie länger haltbar bleiben und ihren Geruch, ihr Aussehen und ihren Geschmack möglichst lange beibehalten.

Zum Abschluss findest du im kleinen **ABC der Resteverwertung** sowohl Ideen zur Verwertung von klassischen Resten, wie etwa überreifem Obst oder Gemüse, sowie etwas unkonventionelle Ideen, wie du beispielsweise aus dem Abtropfwasser von Kichererbsen eine feine vegane Mousse au Chocolat zauberst. Wer hätte gedacht, was alles möglich ist!

5.2 Reste vermeiden

Die folgenden drei Tipps helfen dir zu vermeiden, dass Reste überhaupt anfallen, beziehungsweise diese gleich weiter verwertet werden, sodass du sie nicht als Überbleibsel im Kühlschrank herumstehen hast.

Tipp 1: Plane deinen Bedarf an Lebensmitteln im Voraus
Plane deinen Bedarf an Lebensmitteln ein paar Tage im Voraus oder optimalerweise für die ganze Woche. So vermeidest du Impulskäufe und es fällt dir außerdem leichter, einem ausgewogenen Kochplan zu folgen. Du kannst beispielsweise auch Thementage festlegen, sodass etwa dienstags immer Reis-Tag ist und donnerstags Fisch auf den Tisch kommt. Bei der Planung und Inspiration hilft dir die offizielle Thermomix-App aus dem App Store: in der App kannst du ganz einfach Rezepte auswählen und im Kalender dem jeweiligen Wochentag zuordnen. Die App erstellt für dich dann automatisch Einkaufslisten für die Rezepte.

Tipp 2: Folge einer schlauen Reihenfolge
Du kannst dir einige Reinigungsschritte sparen, indem du dir eine sinnvolle Reihenfolge überlegst, in der du Zutaten im Thermomix zubereitest. Beispielsweise ergibt es Sinn, trockene Zutaten zuerst zuzubereiten, und anschließend feuchte Zutaten in den Mixtopf zu geben – damit ersparst du dir, den Mixtopf zwischen zwei Arbeitsschritten ausspülen zu müssen! Hier sind ein paar Beispiele:

1. Setze deinen Thermomix ein, um Gemüsebrühe herzustellen und koche anschließend eine Suppe, für die die Gemüsebrühe sich dann praktischerweise bereits im Mixtopf befindet.
2. Bereite zuerst Butter zu, dann einen Kuchenteig. Oder füge Öl hinzu und brate Zwiebeln an.
3. Bereite zuerst Mayo zu und verwende die Reste im Thermomix anschließend gleich, um beispielsweise einen Coleslaw Salat zu zaubern.

Tipp 3: Suche Rezepte für Zutaten, die bald ihr Mindesthaltbarkeitsdatum überschreiten werden
Du hast für dein Rezept nur eine halbe Mango benötigt, aber drei gekauft? Gib in der Suchmaske der Thermomix Rezeptwelt einfach "Mango" ein und du findest Rezepte, für die du Mangos benötigst.

5.3 Was steckt hinter dem Mindesthaltbarkeitsdatum?

Das Überschreiten des Mindesthaltbarkeitsdatums muss nicht gleich das Todesurteil von Lebensmitteln und den direkten Weg in den Mülleimer bedeuten! Oft wird das **Mindesthaltbarkeitsdatum** mit dem **Verfallsdatum** verwechselt. Ein Verfallsdatum ist beispielsweise auf Medikamente gedruckt und diese dürfen nach dessen Ablauf nicht mehr in Umlauf gebracht werden. Auch bei Geflügel oder Hackfleisch findest du ein Verfallsdatum auf dem Etikett. Nach dessen Ablauf solltest du diese leicht verderblichen Waren, in denen sich nach dieser Zeit Keime und Bakterien gebildet haben können, daher wirklich nicht mehr verzehren.

Die meisten anderen Lebensmittel – insbesondere Milchprodukte – tragen dagegen ein Mindesthaltbarkeitsdatum. Das Mindesthaltbarkeitsdatum besagt lediglich, bis wann ein Lebensmittel bei richtiger Lagerung seine spezifischen Eigenschaften wie etwa Geruch, Geschmack und Farbe **mindestens** beibehält. Es entspricht einer Garantie des Herstellers, dass das Produkt innerhalb dieser Zeitspanne genau den beispielsweise in der Werbung angepriesenen Eigenschaften entspricht. Das heißt jedoch im Folgeschluss, dass ein Nahrungsmittel, welches das

Mindesthaltbarkeitsdatum bereits überschritten hat, aber sein Aussehen, seinen Geruch, seinen Geschmack oder seine Konsistenz noch nicht verändert hat, weiterhin essbar ist und auf keinen Fall verdorben ist. Supermärkte und andere Lebensmittelanbieter dürfen innerhalb des gesetzlichen Rahmens auch bereits abgelaufene Ware anbieten, wenn diese auf ihren guten Zustand überprüft wurde – sie tun dies aber normalerweise nicht, da die meisten Endverbraucher diese Produkte eben nicht mehr kaufen würden, auch wenn sie perfekt aussehen.

Wie erkennst du also, ob ein Lebensmittel noch gut ist? Verlasse dich auf deine eigenen fünf Sinne – solange ein Nahrungsmittel noch gut riecht, nicht verdorben schmeckt und du noch keinen Schimmel oder andere Verfärbungen sehen kannst, kannst du es auf jeden Fall weiterhin verzehren! Insbesondere Milchprodukte sind oft noch gut, auch wenn das Mindesthaltbarkeitsdatum bereits in der Vergangenheit liegt. Wichtig ist nur, dass du Produkte richtig lagerst, dann kannst du beispielsweise Käse für drei Wochen oder länger aufbewahren. Hierzu findest du im Folgenden jede Menge Tipps.

5.4 Wie du Lebensmittel richtig lagerst

Wie du deine Lebensmittel nach dem Kauf verstaust, spielt eine entscheidende Rolle dabei, wie lange sie haltbar sind – auch nach Ablauf des Mindesthaltbarkeitsdatums. Im Folgenden findest du eine genaue Anleitung, wie du welche Nahrungsmittel am besten lagerst.

Fangen wir an mit flüssigen und halbfesten **Milchprodukten** wie Joghurt, Milch und Butter. Diese bringst du am besten im dunklen Kühlschrank unter. Meist eignet sich das mittlere Fach am besten, wo es üblicherweise ca. 6 Grad hat.

Bei **Käse** solltest du darauf achten, verschiedene Sorten jeweils einzeln zu verpacken, damit der Edelschimmel des Camemberts zum Beispiel nicht auf einen anderen Käse übergreift. Du wickelst Käse am besten in Butterbrotpapier oder das Papier von der Käsetheke, so kann er schön atmen und wird vor Schimmel geschützt. Wichtig ist auch, dass du Käse nie auf Schneidebrettern schneidest, auf denen zuvor

Brot lag – die Hefe-Rückstände des Brotes lassen den Käse schneller schimmeln. Je niedriger der Wassergehalt im Käse, desto länger hält er sich – Hartkäse hat also die längste Haltbarkeit, während Frischkäse innerhalb weniger Tage verzehrt werden sollte. Auch wenn du bei einem Käse Schimmel entdeckst, musst du ihn nicht gleich entsorgen. Solange es nur weißer Schimmel ist, kannst du ihn auch abkratzen oder die betroffenen Stellen wegschneiden. Oft handelt es sich ohnehin nur um Salzkristalle. Zur vollen Entfaltung der Aromen solltest du Käse übrigens 30 bis 60 Minuten vor Verzehr aus dem Kühlschrank nehmen.

Brot sollte auf keinen Fall im Kühlschrank, sondern am besten bei Zimmertemperatur aufbewahrt werden. Am besten hält sich Brot, wenn es in eine Papiertüte gehüllt ist oder, noch besser, zusätzlich in einem atmungsaktiven Brotkasten – das heißt entweder ein Brotkasten aus Holz (das von Natur aus, die Luft zirkulieren lässt), oder beispielsweise ein Brotkasten aus Metall mit Atmungslöchern. Der Hintergrund ist, dass Brot nach und nach Wasser an seine Umgebung abgibt, die zuvor von der Stärke im Mehl gebunden wurde. Außerdem gut zu wissen: je dunkler das Brot, desto länger hält es. Also wählst du am besten ein Vollkornbrot (im Ganzen kaufen, nicht in Scheiben geschnitten) und legst dieses anschließend im Brotkasten, in eine Papiertüte gewickelt, auf die angeschnittene Seite – so hält es sich am längsten. Falls du auf Brot Schimmel entdeckst, solltest du stets das ganze Brot entsorgen – es ist meist kaum zu erkennen, wie weit sich der Schimmel schon ausgebreitet hat.

Eier kannst du bis zu zwei Wochen nach Ablauf des Mindesthaltbarkeitsdatums noch verwenden, dann aber lieber zum Kochen oder Backen und nicht roh. Mit einem einfachen Trick kannst du prüfen, ob Eier noch gut sind: fülle eine Schale mit Wasser und lege die Eier hinein. Wenn sie zu Boden sinken, sind sie noch frisch und wenn sie leicht schräg im Wasser stehen kannst du sie noch im gut erhitzten Zustand essen. Nur wenn ein Ei an der Oberfläche schwimmt, ist es wirklich verdorben.

Ohnehin lange haltbare Waren wie **Mehl, Reis, Getreide, Kaffee und Nudeln** kannst du auch mehrere Monate nach Ablauf des Mindesthaltbarkeitsdatums noch verwenden, vorausgesetzt, dass sie trocken gelagert werden. Das trifft auch für **Marmelade, Saft, Bier und Wein** zu.

Auf den Verpackungen von **Salz, Zucker und Essig** muss laut EU-Vorschrift gar kein Mindesthaltbarkeitsdatum mehr stehen, da sie kaum verderben. Falls doch ein Mindesthaltbarkeitsdatum aufgedruckt ist, ist das Produkt vermutlich auch lange nach Ablauf noch sicher zum Verzehr.

5.5 Das kleine ABC der Resteverwertung

Das war erst der Anfang! Das folgende kleine ABC der Resteverwertung von A wie Apfelschale oder Avocado Kern bis Z wie Zitronenschale wird dich zu weiteren Ideen inspirieren, wie du die Reste im Mixtopf oder im Kühlschrank sinnvoll weiterverwendest und dir beispielsweise das Ausspülen des Mixtopfes zuerst einmal sparst sowie das unnötige Wegwerfen von Lebensmitteln, die noch essbar sind.

Apfelschale
Du hast für ein Gericht geschälte Äpfel benötigt? Sammle die Apfelschalen und verwende sie zum Beispiel als geschmacksintensiven Zusatz für Sangria, Punsch oder Glühwein. Oder du trocknest sie im Ofen und verwertest sie anschließend, um Apfeltee zuzubereiten oder als gesunden Snack in Form von selbstgemachten Apfelschalen-Chips.

Avocado Kern
Mit dem Thermomix kannst du Avocado Kerne zu Pulver verarbeiten, das du anschließend für einen Tee, Salat oder Smoothie voller Antioxidantien und Vitamine verwenden kannst. Den Avocado Kern also nicht mehr in den Mülleimer wandern lassen, sondern bei Stufe 10 10 Sekunden lang im Thermomix zerkleinern!

Bananenschale
Gib zu, dass du an diese Möglichkeit wahrscheinlich noch nicht gedacht hast: Sogar die scheinbar ungenießbare Schale von Bananen kannst du auf leckere Weise zubereiten! Die Schale wird beim Erhitzen weich und leichter zu kauen. Damit eignet sie sich hervorragend, um

beispielsweise dein nächstes Curry auf originelle Weise zu bereichern. Hier gilt natürlich, dass die Bananenschalen Bio sein müssen. Unbedingt ausprobieren!

Brokkoli-Strunk

Du kannst den Strunk im Ganzen verwenden, sofern du knorrige oder verdorbene Stellen vorher entfernst. Der Strunk ist sehr saftig und lecker und kann auch roh verzehrt werden!

Brot

Dein Brot ist zu hart geworden, um es zu essen? Altbackenes Brot, Semmeln und andere Teigwaren kannst du mit dem Thermomix einfach in Paniermehl verwandeln, dass sich auch lange hält, wenn du es trocken lagerst. Alternativ kannst du das Brot auch in Würfelstücke schneiden und mit etwas Öl anbraten, sodass du selbstgemachte Croutons für den Salat oder die Suppe erhältst.

Garflüssigkeit

Du hast gerade Fisch oder Gemüse gegart? Die Garflüssigkeit im Mixtopf hat viele der Nähr- und Geschmacksstoffe deines Essens aufgenommen, also füge einfach etwas Frischkäse oder Sahne sowie etwas Gemüsebrühe oder Gewürze ganz nach Geschmack hinzu, koche die Flüssigkeit kurz auf und schon erhältst du eine köstliche Sauce, die dein Gericht geschmacklich abrundet!

Eigelb

Es ist fast unvermeidbar: bei vielen Rezepten braucht man entweder verhältnismäßig mehr Eigelb oder Eiweiß. Was also tun, wenn nach dem Plätzchenbacken zum Beispiel Eigelb übrigbleibt? Es gibt zahllose Ideen, wie man Eigelb sinnvoll einsetzen kann: als schnelle Lösung im Omelett, in der Spaghetti Carbonara, in der Sauce Hollandaise oder in der Mayonnaise. Auch für Eierlikör oder Crème Brûlée kannst du dein Eigelb hervorragend verwerten.

Eiweiß

Andersherum stehst du natürlich manchmal vor dem gleichen Problem: was tun, wenn nach der Hollandaise oder Mayonnaise Eiweiß zu verwerten ist? Klassische Rettungsrezepte sind hier Baiser

Gebäck oder französische Macarons, für die du ausschließlich Eiweiß benötigst. Oder wie wäre es zur Abwechslung einmal mit einem Pisco Sour? Hierfür einfach das Eiweiß im Thermomix schaumig schlagen. Ein paar Tipps für das Gelingen deines Eischnees findest du in Kapitel 2 unter "Schlagen".

Fenchel

Beim Fenchel wird oft viel zu viel weggeschnitten. Dabei kann man den Fenchel im Ganzen verwenden! Das Fenchelgrün beispielsweise kannst du im Thermomix zerkleinern und für Dips, Suppen und Salate verwenden.

Gemüse jeder Art

Du hast Gemüse übrig, aber nur ein bisschen von jeder Sorte oder es sieht nicht mehr ganz so appetitlich aus? Wirf das Gemüse einfach zusammen mit etwas Zwiebeln, Öl, Tomatenmark, Salz und Pfeffer in den Thermomix und mixe alles zu einem leckeren Gemüseaufstrich. Oder du machst Gemüsepuffer aus dem Gemüse!

Hülsenfrüchte

Was machst du normalerweise mit dem Abtropfwasser von Kichererbsen und Co.? Sag jetzt nicht, dass du die Flüssigkeit einfach in den Abfluss gießt! Das wird sich spätestens jetzt ändern. Denn aus dem sogenannten "Abtropfwasser" von Kichererbsen und Bohnen lässt sich hervorragend veganes Eiweiß herstellen! Es ist geschmacklich neutral und wird genauso zubereitet wie klassische Schlagsahne, das heißt du schlägst das Kichererbsen- oder Bohnenwasser einfach im Thermomix steif. Und keine Sorge, du wirst den Unterschied später nicht einmal schmecken! Durch die Zugabe von Kakao und anderen Zutaten wird der ohnehin dezente Eigengeschmack der Kichererbsen und Bohnen komplett übertönt. Wie wäre es also mit einer veganen Mousse au Chocolat aus dem Kichererbsen Wasser das du gerade in den Abfluss kippen wolltest?

Karottengrün

Wenn du Karotten findest, bei denen das Karottengrün noch dran ist, halten sich diese zum einen länger, zum anderen kannst du das Karottengrün vielfältig einsetzen. Karottengrün ist sehr mild im

Geschmack und enthält viel Kalzium, das du dir auf keinen Fall entgehen lassen solltest! Du kannst das Karottengrün auf ähnliche Weise wie Petersilie zum Würzen von Salaten oder Suppen verwenden oder zusammen mit Pinienkernen, Olivenöl, Parmesan und Knoblauch mithilfe deines Thermomix in ein leckeres Pesto verwandeln.

Kartoffelschale

Generell empfiehlt es sich, Kartoffeln mit Schale zuzubereiten, da die Schalen Unmengen an Nährstoffen enthalten und sehr schmackhaft sind. Bei manchen Gerichten ist der Geschmack aber zu dominant, dann kannst du die Kartoffelschalen einfach im Backofen rösten und als eine gesunde Alternative zu klassischen Kartoffelchips zubereiten. Wichtig ist nur, dass du keine grünen Schalen oder Schalen mit Keimen verwendest, da diese den Giftstoff Solanin enthalten.

Kohlrabi Blätter

Wusstest du das Kohlrabi Blätter fast doppelt so viele Vitamine wie die Kohlrabi Knolle enthalten? Auf jeden Fall ein Grund, die Blätter vor dem Biomüll zu bewahren und lieber frisch als Gewürz in der Suppe oder im Salat zu verwenden oder im Mixtopf zu dünsten.

Kohlrabi Schalen

Auch die Schalen deines Kohlrabis kannst du essbar machen! Wie eingelegte Gurken kannst du auch Kohlrabi Schalen mit einer Mischung aus Wasser, Zucker, Weißweinessig, Salz, Pfeffer und Lorbeerblättern einmachen und so lange haltbar machen. Öfter mal was Neues!

Keksreste

Wenn Kekse hart geworden sind, kannst du sie hervorragend für Tiramisu verwenden. Geht auch genauso gut mit Lebkuchen, der deinem Tiramisu das gewisse Extra gibt! Ein klassischer Restekuchen lässt sich ganz einfach mit nach der Weihnachtsbäckerei übrig gebliebenen kleinen Mengen an Nüssen, Rosinen und so weiter zubereiten. Das Besondere: der Kuchen schmeckt jedes Mal anders und jedes Mal lecker!

Kuchenreste
Wenn du Teigreste übrighast, beispielsweise beim Zuschneiden eines Biskuitbodens, kannst du sie einfach mit Ganache (falls du diese auch noch übrighast) oder etwas Nutella oder Ähnlichem in Pralinen verwandeln! Einfach im Thermomix die Teigreste zerkleinern, mit den restlichen Zutaten vermischen und anschließend zu Kugeln rollen und nach Lust und Laune dekorieren – kreative Resteverwertung!

Milchshake
Nachdem du Marmelade, Vanillesoßen, Eiscreme oder Ähnliches im Thermomix zubereitet hast, füge einfach ein paar Schlucke Milch hinzu, mixe die Mischung und schon kannst du dir einen wunderbaren Milchshake gönnen. Nach der Zubereitung von Mandelmus oder Erdnussbutter kannst du auch wunderbar etwas Milch hinzugeben und einen Mandel- beziehungsweise Erdnussmilchshake genießen.

Nudeln
Die Nudeln vom Vortag schmecken labbrig? Einfach im Thermomix mit Gemüse und/oder Fleisch anbraten und schon zauberst du ein neues Gericht, ohne die Nudeln entsorgen zu müssen.

Obst jeder Art
Dein Obst ist nicht mehr ganz so ansehnlich und schon etwas weich geworden? Schneide die schlechten Stellen weg und gib den Rest zusammen mit etwas Milch in den Mixtopf, schon erhältst du einen super leckeren Smoothie aus gerettetem Obst! Das können Bananen sein, Äpfel, Obst jeder Art. Auch Wassermelone – die schnell schlecht werden kann – kannst du hervorragend in einen Smoothie verwandeln. Oder auch in Wassermelonen-Eis, dann musst du nicht alles auf einmal essen!

Papaya-Kerne
Wer hätte das gedacht - die Kerne der Papaya sind nicht nur essbar, sondern auch noch lecker und gesund! Sie enthalten das Enzym Papain, das unser Immunsystem stärkt und unserem Körper dabei hilft, Eiweiß zu verdauen und Fett zu verbrennen. Die Kerne einfach säubern, trocknen und anschließend im Thermomix mahlen – fertig ist der selbstgemachte Papaya-Pfeffer!

Radieschen Blätter

Die Blätter von Radieschen stecken voller Vitamine und antibakterieller Senföle. Sie sind herzhaft-süß im Geschmack und eignen sich daher hervorragend um Suppen, Salate, Pesto oder Kräuterdips das gewisse Etwas zu geben. Einfach im Thermomix zerkleinern - du kannst die gehackten Radieschen Blätter anschließend auch trocknen und bei Bedarf verwenden.

Schokolade

Du hast gerade Schokolade geschmolzen? Füge etwas Milch in den Mixtopf sowie Zimt und andere Gewürze nach Belieben und erhitze die Flüssigkeit – fertig ist deine heiße Schokolade, die dir den Tag versüßt! Alternativ kannst du die Schokolade auch mit etwas Butter, Nüssen, Kakaopulver, Honig und einer Prise Salz in selbstgemachte Schokoladencreme verwandeln, die sich eine Weile hält.

Tomaten

Tomaten lassen sich hervorragend in eine geschmacklich herausragende Tomatensauce oder Ketchup verwandeln, wenn sie nicht mehr ganz so präsentabel aussehen. Für die Tomatensauce die Tomaten einfach mit Tomatenmark, Karotten, Knoblauch, Pfeffer, Salz und etwas Basilikum in eine wunderbare Pasta Sauce verwandeln. Falls die Schale nicht mehr ansehnlich ist: vorher mit heißem Wasser übergießen und abziehen.

Zitronenschale

Zitronensaft ist insbesondere bei Fischgerichten ein Muss, um den Fischgeschmack voll zur Geltung zu bringen. Doch was ist mit den Schalen? Diese wandern ab sofort nicht mehr in den Mülleimer, sondern lieber in den Thermomix – einfach zerkleinern, anschließend als geschmackvolle Deko auf dem Fisch drapieren und übriggebliebene Zitronenzesten in einem Glas oder einer Plastiktüte im Gefrierschrank verwahren, sodass du sie jederzeit griffbereit hast. Alternativ kannst du Zitronenschalen auch kandieren oder zusammen mit etwas Chili in eine Ölflasche geben, schon erhältst du lang haltbares Chili-Zitronen-Öl, das jeden Salat verfeinert. Mit Orangenschalen kannst du ähnliche Wunder vollbringen, als Zesten oder kandidiert lassen sie sich hervorragend verwerten. Wichtig ist nur, dass die Zitrusfrüchte stets aus Bio Anbau stammen.

6
Welche unerwarteten Dinge du mit dem Thermomix zubereiten kannst

Ein 500 Watt Motor, bis zu 10.700 Umdrehungen im Turbo-Modus und eine Heizleistung von 1.000 Watt – in deinem Thermomix steckt einiges an Power! Die Vielfältigkeit des Thermomix ist unglaublich und es kommen stets neue Rezeptideen hinzu. Im Folgenden findest du ein paar kreative Ideen für Gerichte, die du mit deinem Thermomix vermutlich noch nie zubereitet hast. Außerdem kannst du dich inspirieren lassen, was du mit deinem Thermomix sonst noch so anstellen kannst. Ein kleiner Hinweis: Dein Thermomix kann nicht nur leckere Mahlzeiten zubereiten, sondern noch so einiges mehr!

6.1 Kurzer Überblick über dieses Kapitel

Dieses Kapitel ist in drei Teile aufgeteilt. Es beginnt mit einer Liste an **Gerichten und Zutaten, die du (vermutlich) noch nie mit dem Thermomix zubereitet hast** – oder die du vielleicht überhaupt noch nie selbst zubereitet hast. Von Back- und Kochzutaten bis hin zu Kaffee und Likör findest du hier einiges an Ideen, wie du deinen Thermomix noch vielseitiger einsetzen kannst.

Im zweiten Teil findest du einige **weitere Ideen, wofür du deinen Thermomix verwenden kannst** – und es handelt sich dabei nicht um essbare Kreationen. Beispielsweise kannst du mit deinem Thermomix dein eigenes Badesalz und andere Kosmetika frisch und aus natürlichen Zutaten herstellen.

Abgerundet wird dieses Kapitel mit einer Auflistung an Dingen, für die der **Thermomix (noch) nicht geeignet** ist und bietet alternative Vorschläge, wie du zum Beispiel dessen ungeachtet Zutaten rösten kannst, auch ohne Thermomix.

6.2 Gerichte und Zutaten, die du (vermutlich) noch nie mit dem Thermomix zubereitet hast

Der Thermomix bietet dir viele Möglichkeiten, Lebensmittel selbst herzustellen, die du normalerweise stets im bereits verpackten Zustand aus dem Supermarkt nach Hause bringst. Frisch schmeckt es um Welten besser und du hast das Heft in der Hand, wenn du entscheidest, welche Zutaten du verwenden möchtest – und welche nicht. Wer hätte gedacht, dass du mit deinem Thermomix zum Beispiel ganz einfach Vanillezucker oder Likör selbst herstellen kannst? Hier findest du einiges an kunterbunten Tipps, an die du vielleicht noch nicht gedacht hattest.

Backzutaten
Gerade beim Backen reduziert sich dank des Thermomix dein Bedarf an bereits verarbeiteten Lebensmitteln. Angefangen bei gemahlenen Mandeln und anderen Nüssen über Puderzucker und Vanillezucker bis hin zu Schokoraspeln kannst du alles genau nach Bedarf frisch zubereiten. Auch Marzipan für Torten und Naschereien lässt sich im Handumdrehen im Thermomix herstellen, sodass du in Zukunft dein Marzipan selbst mischen und es gleich mit etwas Zimt oder Zitronensaft verfeinern kannst! Der Vorteil: Du kannst genau die Menge herstellen, die du benötigst, und hast keine homöopathisch kleinen Mengen an gemahlenen Nüssen und anderen Dingen, die du nur einmal alle drei Monate benötigst, im Regel stehen. Stattdessen legst du dir einfach große Packungen an beispielsweise Nüssen zu und verarbeitest diese

dann je nach Rezept etwa in gemahlene Nüsse (Mahlen), Nusssplitter (zerkleinern) oder im Ganzen (Linkslauf).

Gut zu wissen

Auch dein eigenes Mehl kannst du kinderleicht selbst herstellen. Mehr dazu findest du im Kapitel "Mahlen".

Kochzutaten

Kochzutaten kannst du ebenfalls ganz einfach selbst herstellen, sodass du sie wirklich nicht mehr kaufen musst! Das reicht von einfachen Dingen wie geriebenem Käse über Paniermehl bis hin zu Butter, die du dann auch gleich beispielsweise mit Chili oder Zimt verfeinern kannst. Schau dich einfach mal in deinem Küchenregal um, was du an bereits zubereiteten Zutaten herumstehen hast und suche nach passenden Rezepten – das meiste kannst du selbst herstellen!

Likör

Sowohl klassischen Eierlikör sowie Unmengen weiterer Likörsorten kannst du mit dem Thermomix kinderleicht herstellen. Alles was du brauchst, ist etwas Zeit (je nachdem, für welchen Likör du dich entscheidest), der Thermomix übernimmt das Rühren für dich. Jetzt musst du dich nur noch entscheiden, welchen Likör du zuerst ausprobieren möchtest: den klassischen Eierlikör, vielleicht einen Lakritzlikör wie er im hohen Norden gerne getrunken wird oder gar einen weißen Schokoladenlikör? Ein Tipp für Eierlikör Liebhaber: du kannst den Eierlikör auch zum Verfeinern von Süßspeisen verwenden, beispielsweise Eierlikör Mousse oder Eierlikör Pudding!

Kaffee

Mit deinem Thermomix kannst du sogar Kaffee mahlen! Welche Kaffeesorte es ist, kümmert den Thermomix quasi "nicht die Bohne" – er mahlt sie alle! Wichtig ist nur, dass du eine hohe Stufe wählst (Stufe 9 oder 10). Je größer die Menge an Kaffee, die du mahlen möchtest, desto länger solltest du deinen Thermomix mahlen lassen. Als Faustregel gilt: 100 Gramm Kaffeebohnen sind nach etwa einer Minute pulverisiert, 250 Gramm benötigen etwa zwei bis drei Minuten. Falls du dir jeden Morgen frischen Kaffee mahlen möchtest, reichen bei kleineren Mengen zwischen 20 und 30 Sekunden. Wichtig ist, dass du den Kaffee nicht zu fein mahlst, ansonsten kann beispielsweise eine Siebträgermaschine den Kaffee nicht mehr erhitzen, da das Kaffeepulver zu dicht ist und das heiße Wasser nicht mehr durchlaufen kann. Falls dir das passiert, also einfach etwas weniger fein mahlen. So frisch und aromatisch hast du deinen Kaffee auf jeden Fall noch nie genossen!

Sous-Vide

Sous-Vide ist eine neue französische Kochmethode, bei der Fleisch und andere Zutaten in einem Wasserbad bei konstant niedriger Temperatur (zum Beispiel 60 Grad) über längere Zeit zart gegart werden, sodass die meisten Nährstoffe, Geschmacksstoffe und Vitamine erhalten bleiben. Ein weiterer Vorteil ist, dass beispielsweise Steak nie verkocht und zäh ist, sondern saftig zart. Das Fleisch – und andere Dinge, die du mit der Sous-Vide Methode zubereiten möchtest – wird dabei nicht etwa in den Varoma gelegt, sondern in einer Plastiktüte direkt in das Wasserbad im Mixtopf gegeben. Du kannst auch deinen Metzger bitten, das Fleisch mit Vakuum zu verschließen. Steak Liebhaber schwören auf die Sous-Vide Methode, um ein perfekt gegartes Steak zu erhalten, das innen schön saftig und zart ist statt trocken und durchgebraten. Normalerweise werden für das Sous-Vide Kochen spezielle Kochgeräte und Thermometer verwendet, wie praktisch also, dass die Sous-Vide Funktion beim Thermomix quasi schon möglich und beim TM6 tatsächlich schon integriert ist (siehe Kapitel 2)! Aber auch der TM5 ist für Sous-Vide hervorragend geeignet, da du Temperaturen zwischen 37 und 120 Grad in 5er Stufen statt in 10er Stufen wie beim Vorgängermodell TM31 wählen kannst. Der TM6 ist allerdings noch besser geeignet, da er Temperatureingaben im 1-Grad-Abstand gestattet und die Sous-Vide Funktion bereits fester Bestandteil des Programms ist.

6.3 Thermomix-Ideen für Weihnachten, Ostern und Co.

Das Tolle am Thermomix ist, dass die Liste an Rezepten, die du unbedingt noch ausprobieren möchtest, sicher nie enden wird. Gerade zu den Feiertagen kannst du mit dem Thermomix deine Koch- und insbesondere Backkünste voll entfalten, ohne ewig lange in der Küche zu stehen! Um an die richtigen Rezepte zu gelangen, kannst du dir entweder das passende Kochbuch zulegen oder beispielsweise auf

Cookidoo “Weihnachten” oder “Ostern” in die Suchzeile eingeben, schon erscheinen die thematisch passenden Rezeptvorschläge. Hier sind schon einmal ein paar Ideen:

An Weihnachten: Wie wäre es beispielsweise mit gerösteten Mandeln aus dem Thermomix? Oder einer Karamell-Gewürz-Creme? Auch Plätzchen jeder Art – Pfefferküsse, Zimtsterne, Lebkuchen – kannst du mit dem Thermomix auf einfachste Weise herstellen, der Mürbeteig für die Vanillekipferl zum Beispiel gelingt dir damit ganz bestimmt besonders lecker. Einen Lebkuchenlikör oder Marzipankartoffeln kannst du genauso einfach zaubern! Natürlich findest du nicht nur Backrezepte, sondern beispielsweise auch Rezeptideen für eine klassische Ente mit Knödel und Blaukraut.

An Ostern: Angefangen beim klassischen Osterlamm (dessen Hefeteig mit dem Thermomix ein Leichtes ist) über selbstgefärbte Eier bis hin zu Ostereier-Plätzchen kannst du dir mit dem Thermomix die Vorbereitung für die Ostertage sehr abwechslungsreich gestalten. Wenn du einen klassischen Oster-Brunch veranstaltet möchtest, findest du auf Cookidoo unter dem Stichwort “Brunch” (unter “Ostern” findest du dagegen nur wenige Vorschläge) jede Menge Ideen, wie du den Ostertisch mit Aufstrichen und Omeletts, Antipasti und Salaten, sowie Torten und Kuchen nach Lust und Laune füllen kannst.

Weitere Feiertage und festliche Anlässe: unter dem Stichwort “Fasching” findest du jede Menge Krapfen Rezepte und der Suchbegriff “Halloween” ist eine echte Fundgrube, von Mumienfingern über Kürbis Macarons bis hin zu Kürbisspätzle findest du hier allerlei kreativ angehauchte, zumeist orangefarbene Rezeptvorschläge!

6.4 Andere Dinge, für die du deinen Thermomix verwenden kannst

Hast du gerade gesagt, dass du deinen Thermomix nur zur Essenszubereitung verwendest? Dabei kann er doch noch viel mehr! Tatsächlich kannst du die vielen Funktionen des Thermomix auch für einiges anderes nutzen, dass dir so vielleicht noch nie in den Sinn gekommen ist, angefangen bei Kosmetik, die du selbst herstellen kannst, bis hin zu praktischen Anwendungsmöglichkeiten des Thermomix beispielsweise zum Testen von Hefe.

Hefe testen
Der Thermomix bietet dir eine schlaue Methode, zu testen, ob deine Hefe noch frisch ist. Einfach Wasser im Mixtopf auf 37 Grad erwärmen, einen halben Teelöffel Zucker und ein kleines Stück der fraglichen Hefe hinzufügen. Wenn die Hefe nach ungefähr 10 Minuten schäumt oder Blasen wirft, kannst du sie noch verwenden, ansonsten solltest du sie entsorgen.

Kosmetik
Mit deinem Thermomix kannst du ganz einfach deine eigenen Wellnessprodukte herstellen, ob für den Eigenbedarf oder zum Verschenken. Garantiert frisch und genau, wie du sie dir vorstellst. Wie wäre es zum Beispiel mit einem Zitronenbadesalz? Einfach grobes Meersalz, etwas Mandelöl und die Schale einer unbehandelten Zitrone im Mixtopf mischen (Stufe 3, 12 Sekunden), fertig ist das Wohlfühlprodukt! Auf ähnlich einfache Weise kannst du auch ein pflegendes Rosenblütenpeeling oder eine kühlende Feuchtigkeitsmaske (mit Joghurt, Gurke und Aloe Vera Gel) ganz einfach selbst herstellen.

Sterilisieren
Du willst Schnuller, Babysauger, Babyflaschen, Einmachgläser oder Ähnliches gründlich säubern und von Keimen befreien? Im Thermomix geht das ganz einfach. Fülle den Mixtopf mit Wasser, lege das zu reinigende Material in den Varoma-Korb und verschließe den Varoma mit dem Deckel. Anschließend im Varoma auf Rührstufe (Stufe 3) für 15 Minuten dämpfen. Danach zum Trocknen auf ein frisches Küchentuch legen.

6.5 Wofür dein Thermomix (noch) nicht geeignet ist

Der Thermomix kann zwar mehr als jede andere Küchenmaschine, aber seine Einsatzmöglichkeiten sind natürlich auch nicht unbegrenzt. Für eine Reihe von Zubereitungsmethoden benötigst du weiterhin Zusatzmaterial. Im Folgenden findest du eine Liste an klassischen

Kochvorgängen, die du mit dem Thermomix zwar nicht durchführen kannst, bei denen der Thermomix dir aber zum Beispiel bei der Vorbereitung helfen kann.

Rösten

Der Thermomix kann zwar kochen und braten, aber keine Zutaten rösten. Du benötigst also stets eine Flüssigkeit wie Wasser oder Öl. Wenn du also beispielsweise Mandeln rösten möchtest, solltest du das im Ofen oder in der Pfanne, ohne Öl, tun.

Frittieren

Beim Frittieren muss das Öl eine Temperatur zwischen 160 und 180 Grad erreichen. Da der Thermomix nur auf 120 Grad erhitzt, ist er zum klassischen Frittieren nicht geeignet. Du kannst den Thermomix aber zum Beispiel hervorragend zur Vorbereitung von im Ofen frittierten Pommes nutzen: einfach die geschnittenen, rohen Pommes zusammen mit Öl, Salz und weiteren Gewürzen in den Mixtopf geben und mithilfe des Linkslaufs sanft verrühren, damit sind deine Pommes später gleichmäßig gewürzt, wenn du sie aus dem Ofen holst! Für leidenschaftliche Pommes Liebhaber kann sich auch die Anschaffung einer Heißluftfritteuse zum Zubereiten von fettreduziertem Speisen jeder Art empfehlen – in Kapitel 3 erfährst du mehr darüber, welche Küchengeräte du dir als Ergänzung zum Thermomix anschaffen kannst!

Dampfkochen

Du kannst den Thermomix (noch) nicht in einen Schnellkochtopf verwandeln, der deine Zutaten unter Druck schneller gar werden lässt. Allerdings lagen Kartoffeln aus dem Thermomix in einer Vergleichsstudie mit Kartoffeln aus dem Schnellkochtopf geschmacklich vorne, also brauchst du die Dampfkoch-Funktion vielleicht gar nicht! Im Garwasser des Schnellkochtopfes geht oft viel des Geschmacks verloren, daher ist Dämpfen und Garen im Thermomix sogar die geschmacklich bessere Wahl.

Backen

Dass der Thermomix nicht backen kann, ist nur die halbe Wahrheit. Tatsächlich kann der Thermomix nicht im klassischen Sinne Kuchen backen, aber du kannst mit ihm Kuchen und Torten im Varoma-Einlegeboden dämpfen, wodurch das Resultat sogar geschmacklich intensiver und saftiger ausfällt als aus dem Ofen (mehr dazu in Kapitel 2)! Außerdem hilft dir der Thermomix bei allen Vorbereitungen für deine Backkunstwerke, angefangen beim Mahlen von Mehl, bis hin zum Teig mischen und Kneten.

Kühlen

Bisher kann der Thermomix auch noch keine Zutaten kühlen oder einfrieren. Du kannst problemlos gefrorene Zutaten im Thermomix mixen – wodurch du für kurze Zeit ein gefrorenes Endresultat erhältst – und Eis im Thermomix vorbereiten, um es anschließend im Gefrierschrank einzufrieren. Den Thermomix auf Minustemperaturen einstellen kannst du allerdings noch nicht. Aber vielleicht lesen ja die Thermomix-Produktentwickler diesen Hinweis und die nächste Thermomix-Version kann dir beim Eismachen noch besser zur Hand gehen …

7
Wie du mit dem Thermomix gesund kochst

Eines muss zu Beginn dieses Kapitels klargestellt werden: auch wenn dich der Thermomix beim Abnehmen unterstützen kann, bietet er keine Garantie, dass die Kilos purzeln, bloß weil du auf einmal diese unglaublich vielseitige Küchenmaschine auf der Küchentheke stehen hast. Aber Hand auf Herz – welche Diät bietet das schon? Der Thermomix kann dir aber sehr wohl dabei helfen, einem gesunden und ausgewogenen Ernährungsstil zu folgen. "Diät" kommt ursprünglich aus dem Griechischen und bedeutet "Lebensführung", hat also mit dem von herkömmlichen Diäten oft versprochenen Abnehmen über Nacht wenig gemeinsam.

Während viele Diäten vielleicht zu einem temporären Gewichtsverlust führen können, wird das Wunschgewicht selten dauerhaft erreicht und der berüchtigte Jo-Jo Effekt macht kurzzeitige Erfolge schnell zunichte. Aufgrund ihrer Einseitigkeit sind klassische Diäten oft schwer durchzuhalten und mit einem entspannten und aktiven Lebensstil einfach nicht kompatibel. Im Folgenden kannst du mehr darüber lesen, wie dir der Thermomix dabei helfen kann, gesunde Gerichte vergleichsweise schnell und unkompliziert zuzubereiten, sodass es dir leichter fällt, dich dauerhaft gesund zu ernähren und dein Wohlfühlgewicht zu erreichen und zu halten.

7.1 Kurzer Überblick über dieses Kapitel

Der erste Teil dieses Kapitel erklärt zunächst, **wie dich der Thermomix beim Abnehmen unterstützen kann**. Insbesondere lernst du, wie dir der Thermomix eine gesunde und abwechslungsreiche Ernährung erleichtert, da er vielfältige Anwendungsmöglichkeiten bietet und dich zum gesunden Kochen motiviert.

Den Thermomix in deiner Küche stehen zu haben ist natürlich nur der erste Schritt. Im zweiten Schritt benötigst du gesunde Rezepte, um den von dir gewünschten ausgeglichenen Lebensstil zu erreichen! **Worauf du bei der Auswahl der Rezepte achten solltest** und insbesondere welche Lebensmittel du vermehrt und welche du in geringerem Umfang zu dir nehmen solltest, erfährst du im zweiten Teil dieses Kapitels.

Im dritten Teil kommen wir zu den praktischen Details. Dieser Teil beschreibt, **wie du die richtigen Rezepte zum gesunden Kochen findest** und was in der Thermomix-Rezeptwelt angeboten wird.

Abschließend findest du einige **weitere Tipps zur gesunden Ernährung**, beispielsweise wie du Bewegung in deinen Tagesablauf einbaust. Denn Ernährung ist nicht alles – sie ist aber auf jeden Fall der erste Schritt, denn nur mit einer gesunden Ernährung wirst du dich langfristig in Form und ausgeglichen fühlen und auch die Effekte von sportlicher Bewegung deutlicher sehen und spüren.

7.2 Wie dich dein Thermomix beim Abnehmen unterstützen kann

Der Thermomix kann dir auf vielfältige Weise helfen, dich gesund zu ernähren – und dabei Spaß zu haben! Der wichtigste Faktor einer gesunden Ernährung ist, diese über einen langen Zeitraum einzuhalten– idealerweise dein ganzes Leben lang! Nun kann es in der Hektik des Alltags natürlich leicht passieren, dass die Freude am Kochen schnell verfliegt, wenn man nach einem langen Arbeitstag in der Küche steht und noch nicht einmal weiß, was man zum Abendessen kochen möchte. Mit dem Thermomix kannst du zum einen eine Vielzahl an abwechslungsreichen Gerichten viel schneller und unkomplizierter als auf klassische Weise zubereiten und zum anderen erhältst du jede Menge Inspiration in der Thermomix-Rezeptwelt. Die Rezepte sind dank deines Cookidoo oder Cook-Keys sogar direkt vorprogrammiert für den Thermomix.

Ob mit oder ohne Guided Cooking, eines ist sicher: die Lust am Kochen wird durch den Thermomix bei jedem geweckt, du kannst sie voll ausleben, ohne Unmengen an Zeit und Arbeit investieren zu müssen! Beispielsweise kannst du im Thermomix verschiedene Gerichte im Mixtopf, Garkorb und Varoma gleichzeitig zubereiten – und das ohne den Stress (und die Anbrenngefahr), den mehrere, gleichzeitig auf dem Herd stehende Töpfe verursachen würden.

Außerdem ist für eine gesunde Ernährung entscheidend, dass du viel Obst und Gemüse zu dir nimmst. Genau diese Lebensmittel sind zu Hause oft aufwendig zuzubereiten. Mit dem Thermomix dagegen kannst du dir im Handumdrehen einen Smoothie zaubern, statt zum Schokoriegel zu greifen. Und schon hast du den Heißhunger clever ausgetrickst!

Ein weiterer wichtiger Punkt ist, dass der Thermomix deinen Horizont an Möglichkeiten, was du alles selbst kochen und backen kannst, deutlich erweitert. Dadurch ersparst du dir, auf industriell hergestellte Lebensmittel zurückzugreifen, die meist viele ungesunde Zusätze, dafür aber weniger Vitamine und Nährstoffe enthalten. Statt dem zuckrigen Schokoaufstrich aus dem Supermarkt kannst du dir eine kalorien- und zuckerreduzierte Variante (beispielsweise mit Agavensirup gesüßt) im Handumdrehen selbst herstellen. Der Thermomix lädt dich auch gleich zum Experimentieren ein, vielleicht möchtest du deinem Schokoaufstrich noch etwas Zimt hinzufügen, um ihm eine besondere Note zu verleihen?

Und statt der Kalorienbombe Eiscreme aus dem Supermarkt-Gefrierfach zauberst du dir dank Thermomix dein eigenes Eis oder bereitest auf die Schnelle ein leckeres Sorbet zu, wenn dir der Sinn nach eiskaltem, süßem Genuss steht. So kannst du Süßes ohne schlechtes Gewissen genießen, statt darauf verzichten zu müssen und dann doch schwach zu werden.

Insbesondere was die Kunst des Backens betrifft, wird dir der Thermomix das Leben deutlich erleichtern. Statt nach den süßen, verpackten Muffins im Supermarkt zu greifen, kannst du dank des Thermomix dein eigenes gesundes Vollkornmehl mahlen und im Varoma ganz einfach gesunde Muffins backen. Oder in Verbindung mit einem Ofen dein eigenes Brot zaubern! Oftmals fehlt es nicht an Ideen, sondern an Möglichkeiten der Umsetzung. Wer stellt sich schon jede Woche in die Küche und knetet Brotteig, wenn es tausend andere Dinge zu tun gibt? Wenn dagegen der Thermomix das Kneten übernimmt, ist es auf einmal leicht möglich, zum regelmäßigen Brotbäcker zu werden und das ungesunde Weißbrot links liegen zu lassen!

Der Thermomix ermöglicht es dir auch, Lebensmittel herzustellen, die du nicht einmal kaufen kannst, beziehungsweise die schwer zu finden oder sehr teuer sind. Die Möglichkeiten sind beinahe endlos, was du im Thermomix alles mixen, mahlen und zerkleinern kannst, die Liste an Ideen wird dir also nie ausgehen und du kannst dich dauerhaft fürs Kochen und Backen begeistern! Vielleicht hast du beispielsweise Lust, einmal Kichererbsenmehl selbst herzustellen und daraus gesunde Pfannkuchen zu zaubern? Einfach trockene Kichererbsen im Thermomix fein mahlen, fertig ist das gesunde Mehl! Falls jemand einmal gesagt hat, gesunde Ernährung wäre langweilig, hatte er wohl noch nicht vom Thermomix gehört!

Am besten hältst du dich bei der Auswahl gesunder Rezepte an die klassische Ernährungspyramide. Diese besagt, dass du viel Gemüse und Obst zu dir nehmen solltest. An zweiter Stelle kommen Vollkornprodukte sowie Kartoffeln und Vollkornreis. Fleisch, Fisch und Milchprodukte solltest du dagegen nur in geringen Maßen zu dir nehmen, also nicht jeden Tag. Insbesondere Öle und Fette solltest du nur in sehr reduzierter Form zu dir nehmen, beziehungsweise die richtigen Öle und Fette wählen und für Abwechslung sorgen. Im folgenden Kapitel findest du eine Übersicht verschiedener gängiger Öle und erfährst, wofür du sie am besten einsetzt.

7.3 Welche Öle du am besten für welchen Zweck einsetzt

Generell gilt bei Ölen: nicht jedes Öl eignet sich zum Kochen. Je höher der Rauchpunkt eines Öls liegt, desto besser ist es zum Erhitzen von Lebensmitteln geeignet. Denn wenn der Rauchpunkt erreicht wird, beginnen die enthaltenen ungesättigten Fettsäuren (insbesondere Omega-3-Fettsäuren) zu oxidieren und zusätzlich wird giftiges Acrolein freigesetzt. Und je niedriger der Anteil an ungesättigten Fettsäuren, umso höher liegt der Rauchpunkt.

Kaltgepresstes Öl enthält mehr ungesättigte Fettsäuren, da diese beim Herstellungsprozess erhalten bleiben. Daher eignen sich kaltgepresste Öle wie Leinsamenöl, Traubenkernöl, Walnussöl oder Kürbiskernöl am besten für Salate, wobei die Nussöle dem Salat auch gleich ein wunderbar intensives Aroma verpassen! Am besten hast du ein oder zwei verschiedene Salatöle zu Hause und probierst hin und wieder eine andere Ölsorte aus, um deinen Körpern mit allen wichtigen Nährstoffen zu versorgen.

Kaltgepresstes Olivenöl stellt eine Ausnahme dar: es weist einen hohen Anteil an ungesättigten Fettsäuren auf, ist aber stabiler als andere kaltgepresste Öle und kann nicht nur zum Anmachen von Salaten, sondern auch zum Anbraten bis 180 Grad verwendet werden – also perfekt für den Thermomix, da dieser ja eine Maximaltemperatur von 120 Grad (beim TM5) beziehungsweise 160 Grad (beim TM6) erreicht!

Als Alternative zu kaltgepresstem, hochwertigem Olivenöl bieten sich Soja-, Kokos-, Sonnenblumen- und Rapsöl für das Erhitzen bei heißen Temperaturen an, da sie einen hohen Rauchpunkt besitzen und sehr hitzebeständig sind. Zusätzlicher Tipp: Koche lieber mit weniger Öl und bereite eine Mahlzeit mit Fisch zu, da dieser deinen Ernährungsplan natürlicherweise mit vielen Omega-3-Fettsäuren ergänzt.

Viele Menschen folgen der Ernährungspyramide quasi im umgekehrten Sinne und nehmen zu viele Öle und Fette zu sich, während Gemüse und Obst zu kurz kommen. Daher ist es gut, dass dir der Thermomix hilft, fettfrei oder fettreduziert zu kochen (beispielsweise im Varoma) und du viele neue Möglichkeiten entdecken kannst, wie du Obst und Gemüse in deinen Ernährungsplan integrierst!

7.4 Wie du die richtigen Rezepte zum gesunden Kochen findest

Das ist einfacher gesagt als getan. Oft verfliegt die Lust am Kochen auch einfach wegen fehlender Inspiration. Hier findest du ein paar Tipps, wie du an gesunde Rezepte kommst, die du mit dem Thermomix ganz einfach zubereiten kannst.

Zum einen kannst du in der Thermomix-Rezeptwelt nach Rezepten suchen, die genau die Zutaten enthalten, die du im Kühlschrank hast. So erhältst du kreative Ideen, für die du genau die Zutaten benötigst, die du schon daheim hast und gerne verwenden möchtest! Das hilft dir auch, Monotonie im Speiseplan zu vermeiden und nicht immer nur deine Lieblingsspeisen zuzubereiten. Denn Abwechslung ist neben Genuss und gesunden Zutaten einer der wichtigsten Bausteine einer gesunden Ernährung, die Spaß macht! Statt die immergleichen gegrillten Zucchini kannst du stattdessen eine Zucchinisuppe oder Zucchinipuffer zubereiten. Oder vielleicht Zucchini-Apfel-Muffins?

Falls du ein Cookidoo-Abo hast (beim TM6 bereits integriert) kannst du einfach nach "Fit mit Thermomix"-Rezepten suchen und du erhältst Zugang zu einer Vielzahl an Rezepten, die gesund und kalorienarm, aber dennoch sättigend sind.

Wenn du nach Rezepten zum Backen suchst, kannst du beispielsweise auch nach dem Stichwort "zuckerfrei" suchen und du erhältst eine Auswahl an Rezepten, die keinen weißen Zucker verwenden, sondern zumeist Erythrit. Erythrit ist ein nahezu kalorienfreier Zuckerersatz. Zum Vergleich: industriell gefertigter Zucker enthält etwa 400 Kilokalorien pro 100 Gramm Zucker, Erythrit hingegen nur 20 Kilokalorien. Erythrit wird aus fermentierter Stärke hergestellt und kommt in Wein, Birnen, Melonen und Sojasauce natürlicherweise vor. Wenn du mal kein Erythrit im Supermarkt findest oder etwas anderes ausprobieren möchtest, kannst du anstatt Erythrit eines der anderen Zuckerersatzmittel verwenden, die du im folgenden Kapitel findest.

7.5 Welcher Zuckerersatz ist gesund?

Beim Zuckerersatz solltest du auf vier Fragen besonders achten: Ist der Zuckerersatz natürlichen Ursprungs? Wie viele Kalorien hat dieser Zuckerzusatz im Vergleich zu industriellem Zucker? Schmeckt mir der Zuckerersatz? Und vertrage ich diesen Zuckerersatz gut? Bei der übermäßigen Verwendung von Erythrit kann es z.B. zu Durchfall kommen. Folgende natürliche Ersatzmittel für Zucker sind natürlichen Ursprungs und gut verträglich:

- Agavandicksaft und Agavensirup
- Honig
- Ahornsirup
- Kokosblütenzucker
- Reissirup
- Stevia (auch Süßkraut genannt)
- Xylit (auch Birkenzucker genannt)
- Erythrit

Dabei solltest du wissen, dass sich Honige und Sirup am besten eignen, wenn es dir vor allem auf den Geschmack ankommt. Im Vergleich zu industriell raffiniertem Zucker sind sie auf jeden Fall gesünder, da sie mehr Mineralstoffe und Spurenelemente als raffinierter Zucker enthalten enthalten, kalorienmäßig stellen sie aber keine Erleichterung dar, ganz im Gegenteil! Agavensirup (genauso wie Agavendicksaft) weist einen hohen Anteil an Fructose auf, was mit Fettleibigkeit, Bluthochdruck und Diabetes in Verbindung gebracht wird. Honig, Reissirup und Ahornsirup dagegen weisen einen ähnlich hohen Kaloriengehalt wie herkömmlicher Zucker auf (da man mehr verwenden muss, um den gleichen Süßungsgrad wie Zucker zu erhalten), und scheiden daher als gesunde Zuckeralternative ebenfalls aus. Kokosblütenzucker wird zwar viel gepriesen, da er vom Körper langsamer aufgenommen wird und den Insulinspiegel nicht so schnell ansteigen lässt, die Wissenschaft ist sich aber uneins, ob er wirklich eine so viel bessere Alternative zu klassischem Zucker darstellt, da der Kaloriengehalt mit 384 Kilokalorien nur minimal unter dem von raffiniertem weißem Zucker liegt (400 Kilokalorien).

Geht es dir vor allem um die Kalorien, sind Süßungsmittel wie Stevia, Xylit und Erythrit die deutlich bessere Wahl, da diese kalorienfrei sind. Stevia ist komplett kalorienfrei, während Erythrit kaum Kalorien aufweist. Zu Stevia und Xylit solltest du wissen, dass diese zu den am stärksten verarbeiteten Zuckeraustauschmitteln gehören. Beide gelten als gesunde Alternativen zu herkömmlichem Zucker (mit nachgewiesenermaßen positiven Effekten für Zahngesundheit und Körperumfang), sind aber industriell verarbeitet. Bei Stevia kannst du je nach Rezept auch zu Stevia-Blättern greifen, wenn du es noch naturbelassener haben möchtest. Sowohl Xylit als auch Erythrit können bei übermäßigem Verzehr allerdings zu Blähungen und Durchfall führen, bei Erythrit ist die dafür erforderliche Menge wesentlich größer.

Zusammenfassend lässt sich sagen: Erythrit ist zusammen mit Stevia eins der besten natürlichen Zuckerersatzmittel, die auch gut für die Linie sind. Natürlich bieten diese Süßungsmittel nicht das gleiche Geschmackserlebnis wie etwa Ahornsirup, dessen karamellartiger Geschmack Pfannkuchen eine ganz besonders leckere Note verleiht. Du könntest die Pfannkuchen aber beispielsweise auch mit Bananen süßen, die direkt in den Teig kommen. Es ist nicht ganz das Gleiche, aber du wirst dich daran gewöhnen und anfangen, die unaufdringlichere Süße der Bananen zu schätzen! Mit der Zeit passt sich dein Geschmacksempfinden auch an und konventionell gesüßte Speisen werden dir zu süß vorkommen, während die natürliche, reduzierte Süße deiner selbst kreierten Gerichte dir immer mehr zusagen wird.

Am besten reduzierst du deinen Bedarf an zusätzlichen Süßungsmitteln und süßt weniger. Beispielsweise kannst du versuchen, in Süßspeisen grundsätzlich Lebensmittel und Gewürze zu verwenden, die von Natur aus Süße enthalten und Gerichte süß schmecken lassen. Dazu zählt das meiste Obst (vor allem Bananen und Beeren) sowie beispielsweise Datteln, Nüsse, Kakao oder Zimt. Wie wäre es beispielsweise mit Raw Balls aus Datteln, Bananen und Haferflocken, gesüßt mit Zimt, Kardamom und Cacao Nibs? Und wenn ein Rezept eben doch eine zusätzliche Süße erfordert, sind Erythrit und Stevia eine gute, weil kalorienarme und natürliche Alternative zum herkömmlichen Zucker.

Gut zu wissen
Um dir mehr Zeit zu sparen und dir jede Menge Inspiration zu geben, gibt es mittlerweile sogar spezielle Kochboxen, die du täglich oder im gewünschten Intervall per Post zugesandt bekommst. Die Kochboxen enthalten genau die Menge an Zutaten, die du für die mitgelieferten Rezepte benötigst. Einfach nach Anleitung in den Thermomix geben und du zauberst köstlich frische Gerichte im Handumdrehen sogar, ohne in den Supermarkt gehen zu müssen! So komfortabel war Kochen noch nie.

Nicht zuletzt bietet Vorwerk sogar speziell Kochbücher mit Rezepten zum Abnehmen an, inklusive eines Wochenplans, der es dir erleichtert, langfristig gesund zu kochen. Auch in der Cookidoo App und im TM6 kannst du dir deine Gerichte für die kommenden Wochentage bereits einspeichern.

7.6 Welche Thermomix Funktionen sich besonders gut für eine gesunde Ernährung eignen

Alle Zubereitungsweisen, bei denen Lebensmittel schonend zubereitet werden und welche die Zubereitung von Gemüse und gesunden Lebensmitteln vereinfachen, eignen sich besonders gut. In die erste Kategorie zählen vor allem das **Dämpfen, das Sous-Vide Garen und das Slow Cooking**, da bei diesen Kochvorgängen die Lebensmittel nie stark erhitzt werden, wodurch die Nährstoffe besser erhalten bleiben. Außerdem ist kein, oder nur sehr wenig Öl (falls du das Sous-Vide Steak anschließend anbrätst) erforderlich, was die so zubereiteten Gerichte gesünder macht. Zusätzlich macht das schonende Garen Lebensmittel leichter bekömmlich und einfacher zu verdauen.

In die zweite Kategorie fallen vor allem Funktionen wie **Mixen, Mahlen und Pürieren**, da sie dir zum einen erlauben, mehr Lebensmittel selbst herzustellen (beispielsweise frisches Dinkel-Vollkornmehl) und zum anderen die Bandbreite an Möglichkeiten für die Verarbeitung von Gemüse und Obst deutlich erweitern. Wenn es einem so leicht gemacht wird, Obst und Gemüse derart abwechslungsreich zuzubereiten, kann man der gesunden Ernährung ja kaum noch widerstehen! Die **Anbrat-Funktion** solltest du dagegen nur in Maßen anwenden und unbedingt darauf achten, das passende Öl zum Erhitzen und dieses auch nur in Maßen zu verwenden. Und das **Karamellisieren** kannst du dir für Festtage aufheben, wenn du dir einmal eine Ausnahme vom gesunden Kochplan zugestehen möchtest.

7.7 Der Thermomix ist nicht alles: weitere Tipps zur gesunden Ernährung

Ein gesunder Lebensstil fängt mit der Auswahl der richtigen Lebensmittel und deren schonender Zubereitung an, hört damit aber noch lange nicht auf. Um dich langfristig fit und wohl in deinem Körper zu fühlen, solltest du neben Abwechslung in deinem Ernährungsplan darauf achten, dich ausreichend zu bewegen. Am besten integrierst du 30 Minuten Bewegung in deinen Tagesplan, dazu zählt auch, die Treppe, statt den Aufzug zu nehmen! Wie gut, dass dir der Thermomix so einiges an Zeit spart, die du dann zum Joggen in der Natur verwenden kannst, anstatt daheim am Herd die Töpfe umzurühren.

Auch ausreichender Schlaf ist entscheidend, achte also darauf, dass du deine tägliche Dosis Schlaf erhältst, gerade wenn du eine stressige Phase durchlebst! Das wäre doppelt von Vorteil, denn auch Stress trägt dazu bei, dass dein Körper Kalorien ansetzt, anstatt sie zu verarbeiten. Gut, dass du mit dem Thermomix deutlich stressfreier kochen kannst und nichts mehr anbrennt! Und sollte doch einmal etwas anbrennen, kannst du den Mixtopf mit den Tipps in Kapitel 4 ganz einfach wieder blitzblank polieren.

8
Abschlusskapitel

8.1 Einige letzte Worte

Nach der Lektüre dieses Ratgebers sprudelst du sicher über vor Ideen, wie du deinen Thermomix jetzt noch vielseitiger einsetzen kannst, das war zumindest die Absicht! Außerdem hast du hoffentlich ein paar hilfreiche Tipps mitnehmen können, wie du den Thermomix schonend einsetzt, sodass du lange etwas von ihm hast. Und du hast sicher auch einige Aha-Momente erlebt, bei denen dir durch den Kopf ging: „daran hab´ ich ja noch gar nicht gedacht!".

Gib nicht gleich auf, falls ein Gericht am Anfang nicht gleich gelingt, obwohl du den Anweisungen genau gefolgt bist – über Nacht ist noch niemand zum Meisterkoch geworden, auch wenn es mit dem Thermomix natürlich schneller geht als auf herkömmliche Weise. Mal sind die Zutaten anders, weil deren Qualität je nach Saison, Wetterbedingungen und Hersteller schwanken können, mal ist die Temperatur nicht die gleiche gewesen und der Sahne wurde es zu warm – einfach noch einmal probieren, dafür ist der Thermomix ja da: zum Experimentieren, Ausprobieren und dem Ausleben von neuen Ideen. Und wenn es dann klappt, kannst du zu Recht stolz auf dich sein. In seiner eigenen Küche ist man zum Glück sein eigener Herr und wird so mal eben zum Sternekoch, auch wenn es vielleicht nur einige Lieblingsgerichte sind, die man bis zur Perfektion verfeinert. Und auch, wenn die Sauce Hollandaise nur an manchen Tagen so cremig, schaumig und leicht wird – wenn Michelin-Sterne auch tageweise vergeben würden, wirst du dir sicher bald auch schon ein paar erarbeiten.

Auf jeden Fall ist das wichtigste, dass du Spaß beim Kochen, Backen, Verzieren und Herumwerkeln in der Küche hast! Also nicht gleich verzagen, wenn es einmal nicht klappt, der Thermomix wird es niemandem verraten und beim nächsten Mal oder übernächsten Mal oder irgendwann später im Laufe deiner Kochkarriere klappt es sicher!

8.2 Wenn du mehr wissen möchtest

Natürlich ist auch der Umfang dieses Ratgebers begrenzt – er kann dir zwar jede Menge Tipps geben, aber selbstverständlich nicht alles abdecken, sonst wäre er auch irgendwann zu umfangreich zum Lesen. Deswegen habe ich ein **Bonusheft** erstellt, indem du mehr darüber erfährst, welches Zubehör du dir zusätzlich zum bereits mitgelieferten anschaffen und wo du es direkt bestellen kannst. Damit sparst du dir schon einmal jede Menge Recherche im Internet! Mehr Informationen zum Bonusheft findest du auf der letzten Seite, im Anschluss an dieses Kapitel. Zum anderen gibt es jede Menge Webseiten, auf denen du Rezepte und weitere Tipps zum Thermomix findest. Diese Übersicht zeigt dir die wichtigsten:

Schnelle Hilfe
support.vorwerk.com– das offizielle Kundencenter von Vorwerk, bei dem du Antworten zu häufigen Thermomix-Fragen findest.

Rezepte & Tipps
www.rezeptwelt.de – die offizielle Thermomix-Rezeptwelt, bei der du freien Zugang zu allen Rezepten hast.

www.Cookidoo.de – das Thermomix-Rezepte-Portal zum Abonnieren. Die Rezepte kannst du dir per Cook-Key oder beim TM6 automatisch auf deinen Thermomix laden.

“Einfach Thermomix“ auf Youtube – der offizielle YouTube-Kanal aus dem Hause Vorwerk, bei dem du jede Woche ein neues Erklärvideo mit Rezepten und Tipps findest. Sehr empfehlenswert!

Viel Spaß beim Stöbern und Inspiriert werden!

9
Dein gratis Bonusheft

Mit dem Bonusheft will ich es dir noch leichter machen, deinen Thermomix mit passendem Zubehör und passenden Küchenmaschinen zu ergänzen. Nicht nur verrate ich dir ganz genau, worauf du achten solltest, sondern du erhältst direkt die Links zu den praktischen Produkten. Damit ersparst du dir also jede Menge Arbeit, die du ansonsten für die Recherche und Auswahl der besten Produkte aufwenden müsstest.

Hier findest du einen Überblick zu welchem zusätzlichen Zubehör du im Bonusheft Empfehlungen und genauere Informationen erhältst:

- Aufkleber
- Backformen
- Chipboard für Rezeptechips
- Cook-Key
- Displayschutzfolie
- Gleitbrett
- Messerdrehhilfe
- Reinigungsbedarf (insbesondere ökologische Reinigungsmittel)
- Schneidebrett

Plus zwei weitere Geheimtipps, die ich hier noch nicht verrate!

Außerdem empfehle ich dir die besten Küchengeräte, die deinen Thermomix ergänzen, in folgenden Kategorien:

- Grill
- Heißluftfritteuse
- Pastamaker
- Spiralschneider

Würdest du gerne mehr erfahren? Dann hol dir gleich das Bonusheft!

Einfach in deine Browserleiste eingeben:

➔ **ratgeber.katjawinter.com**

Du wirst dann auf meine Internetseite weitergeleitet, so dass du dir das Bonusheft einfach und schnell herunterladen kannst.

Milton Keynes UK
Ingram Content Group UK Ltd.
UKHW022009091024
449514UK00008B/107

9 781647 800062